U0115187

西方學者詮釋中國經典叢書

孔子之前：
中國經典誕生的研究

[美] 夏含夷（Edward L. Shughnessy）　著

黃聖松、楊濟襄、周博群　等譯

范麗梅、黃冠雲　修訂

西方學者詮釋中國經典叢書　總序一

林序

　　二〇〇三年中央研究院為提振中國古代史研究，由本院中國文哲研究所、語言學研究所和歷史語言研究所等，共同籌劃「中國古代文明的形成」研究計畫。計畫下分為：「經典與文化的形成」、「古代中國及其周邊」兩項先期計畫，進行先期研究及規劃事宜，期望藉此結合國內外相關學科之研究者，共同組成研究群，以新方法、新觀點，用漸進的方式推動中國上古史相關主題之研究及人才之培育，希望在國際學術界中，建立臺灣在此一領域的領銜地位。其中，中國文哲研究所所負責的「經典與文化的形成」研究計畫，在為期兩年半先期規劃計畫的執行期間，大體著力於三大主題：一是經典的形成與流傳，二是經典的詮釋，三是經典反映的文化面向。

　　先期規劃計畫自二〇〇三年七月一日開始執行，至二〇〇五年十二月三十一日結束，總共進行了三十場的讀書會和專題演講，部分成果編為《經典的形成、流傳與詮釋》第一冊（臺北市：臺灣學生書局，2007 年 11 月）。為了使這個論題能讓學界投以關注的眼光，且能有更多資源用在研究上，我們以「儒家經典之形成」主題研究計畫向院方提出申請，幸獲通過。自二〇〇六年一月一日起開始執行三年，有十個分支計畫。

　　本研究計畫的目的不在檢討前賢研究成果之是非，而在結合傳世文獻與新出土文獻來解決以前所忽略的問題，例如：儒家經典的神聖化問題，並沒有典籍有明確的紀載，那麼神聖化起源於何時，就有深入追究的必要。本研究計畫的目的就是要在當代的學術氛圍中，利

用現存的文獻或新出土的文獻，來彌補以前關照面的不足。

在執行計畫的過程中，我們發覺國外研究此一論題的單篇論文和專著，也有不少。我們邀請國內精通外文的學者翻譯相關的論文多篇，一部分成果已刊登在《經典的形成、流傳與詮釋》第一、二冊「翻譯篇」中。另外有不少新出版的專著，專門詮釋中國的經典，我們也希望陸續翻譯成中文，匯集成一套叢書，供國人參考之用。以前西方學者討論中國傳統學術的著作，大多屬於歷史、哲學方面，討論經學的著作為數雖不多，但仍有可參考者，可惜很少學者加以介紹，或者翻譯成中文，國內學者也就較難藉由這些著作來學得較新的研究方法和增進自己相關的知識。為了讓國內學者能夠很快地了解國外研究中國經學的現況，我們邀請來自哈佛大學的貝克定（Timothy Baker Jr.）博士一起來規劃一套西方學者詮釋中國經典的叢書。我們蒐集了數十種書。經過半年的挑選，選入這套叢書的有以下十種：

1. Edward L. Shaughnessy

    Before Confucius: Studies in the Creation of the Chinese Classics

2. John B. Henderson

    Scripture, Canon, and Commentary: A Comparison of Confucian and Wester Exegesis

3. Kidder Smith, Jr., Peter K. Bol, Joseph A. Adler, and Don J. Wyatt

    Sung Dynasty Uses of the I Ching

4. Tze-ki Hon

    The Yijing and Chinese Politics : Classical Commentary and Literati Activism in the Northern Song Period, 960-1127

5. Steven Van Zoeren

    Poetry and Personality: Reading, Exegesis, and Hermeneutics in Traditional China

6. Tomas W. Selover

   Hsieh Liang-Tso and the Analects of Confucius : Humane Learning as A Religious Quest

7. John Makeham

   Transmitters and Creators : Chinese Commentators and Commentaries on the Analects

8. Daniel K. Gardner

   Zhu Xi's Reading of the Analects : Canon, Commentary, and the Classical Tradition

9. Daniel K. Gardner

   Chu Hsi and the Ta-hsueh : Neo-Confucian Reflection on the Confucian Canon

10. Bryan W. Van Norden

    Confucius and the Analects : New Essays

這十本著作皆由貝克先生來跟作者或出版者連絡，他們對我們傳揚學術的用心，都很欽佩。從今年起我們將陸續出版這十本著作。至於這十本著作的內涵和他的重要性，貝克先生的〈序〉已有詳細的說明，各位可以參看。

　　我一向扮演學界拓荒者的角色，一九七五年，我開始研究明代考據學，有人說明代沒什麼好研究的，勸我放棄這個念頭。我為了堅持理想，無視眾人異樣的眼光，勇往直前，完成了《明代考據學研究》（臺北市：臺灣學生書局，1983 年）一書，這書奠定了研究明代學術史的基礎，到現在已經成為研究明代學術思想史必讀的參考用書。一九八七年，我開始編輯《經學研究論著目錄》（臺北市：漢學研究中心，1989 年），創新了不少專科目錄的體例，到現在這本《目錄》已成為國內外編輯專科目錄的典範，許多國內外出版的專科目

錄，或多或少都受到這本《目錄》的影響。一九九一年，我開始編輯
《日本研究經學論著目錄》（臺北市：中央研究院中國文哲研究所，
1993年10月），這是有史以來第一本日本研究經學的目錄。一九九七
年，我到日本九州大學訪問研究一年，編輯《日本儒學研究書目》
（臺北市：臺灣學生書局，1998年7月），這是第一本日本研究儒學的
書目。這兩本書目奠定了國人研究日本漢學的基礎，可以說是國內研
究日本漢學的分水嶺。二〇〇〇年，我出版《日據時期臺灣儒學參考
文獻》（臺北市：臺灣學生書局，2000年），彌補了日據時期臺灣儒
學文獻的缺漏，現已成為研究日據時期臺灣儒學和經學最重要的參考
用書。二〇〇五年起，我開始執行「民國以來的經學研究」計畫，
發現北京圖書館所編的《民國時期總書目》（北京市：書目文獻出版
社，1991年12月），收錄民國時期經學著作僅有兩百二十種，為了解
決問題，我編輯《民國時期經學圖書總目》（稿本，待刊），已收錄
經學書目一千四百種，這是一個驚人的數目。僅有書目對研究的幫助
仍舊相當有限，於是我編輯《民國時期經學叢書》（臺中市：文听閣
圖書公司，2010年），已出版一至六輯，合計七百多種。這個事實可
以證明，民國時期經學研究雖非學界主流，但並沒有真正的衰落。

　　國內中文學界一直對國外研究中國經典了解不足，所以也無法
引用西方的長處來彌補自己的缺點，我們竭盡心力規劃了一套可以幫
助國人了解西方學者研究中國經典的叢書。二〇〇六年開始，我和貝
克先生開始籌畫，我們知道要把這些零散的西方學者著作蒐集起來，
編輯成一套叢書，需經過很多困難。首先要跟作者和出版者聯絡，徵
求他們的同意，再找翻譯者。大家都知道經典的研究本來就很困難，
要能了解經典的內涵，對經典有相當程度的熟悉，才能作翻譯的工
作，這樣的人才在國內相當不容易找，也因此我們在找人翻譯的過程
中遭遇了很多困難。但是，我們一想到這套叢書可以對國內中文學界

有所幫助，我們不畏艱難，勇往直前，這也是一件開拓性的工作。做了這麼多拓荒的工作，唯一的目的就是幫助國內學術界奠定研究的基礎，然後了解西方研究漢學的虛實，不要在全世界漢學研究的競爭中，被邊緣化，這是我從事學術研究三十多年來一貫努力追求的大目標。

林慶彰

二〇一三年三月二十五日誌於
中央研究院中國文哲研究所501研究室

西方學者詮釋中國經典叢書　總序二

貝克序

　　本譯著叢書集結近二十年西方研究中國儒家經典的重要英文學術著作，而這些學術著作的作者也都是近年西方研究中國儒家經典具有卓越成績的學者。除了本叢書所收錄的學術著作之外，西方尚有許多研究中國儒家經典的學者，其著作對中國儒家經典的研究亦具有重要性的貢獻，然本叢書實難將這些著作悉數譯出，請讀者諒察。本叢書集結的這些著作，其作者並非全都生於西方，而且在這些作者中，有許多人絕大部分的學業是在臺灣或中國大陸完成的，因此他們對中國經典傳統相當熟悉。但儘管如此，他們也承襲歐美過去三個世紀以來對中國儒家經典研究的傳統。

　　歐洲對中國儒家經典的研究，原先是居於歐洲中國文化研究的核心地位，而且在研究中國儒家經典的頭幾個世紀，是為了要理解中國學術的價值所在。這些西方早期的學者認為經書應該是中國思想的根基，同時也是理解不同思想的關鍵，如同古希臘羅馬的經典也應該是西方思想的根基一般。這樣的看法在方法上或程度上是否正確，並不是我們所要討論的議題，但經書的確是西方思想家試圖了解中國人如何理解世界的開始。

　　第二次世界大戰結束後，西方對亞洲語言和文化的研究產生了很大的轉折，中國儒家經典的研究也隨之發生了大幅的改變，這是由於中國經典的研究在亞洲語言和文化的研究中失去了核心的地位，而且在學術的研究方法上也有所轉變。在所有與亞洲研究相關的學術領域中，包括中國經典的研究，最重要的改變之一即是西方學者和亞洲

學者雙方良性的互動，使得彼此能更深刻的瞭解對方的研究成果。儘管現今西方對中國的學術研究，其成果與現今的中文研究成果相較，兩者之間的距離已比五十年前更加拉近，但仍有某些方面的特點與臺灣和中國大陸的主流研究有所不同，而這些特點也都表現在本叢書的許多著作中。

首先，在這些著作中，有關社會、學術或文化的環境背景是最被關注的重點，而經書文本的原始意義大致上是次要的。這些著作是以雙向論證的分析方法（two-way dialectic of analysis）進行研究，也就是以環境背景來說明歷史上某位具有重要地位的學者為何會特別地在這個時期如此地解釋文本，而此學者解釋文本的方式又被用來闡述當時文化上的各種環境背景。其中社會和文化的議題可從許多觀點切入，如學術自由與國家高壓政策兩者之間的討論，因為這兩者都曾在中國經典的研究上發生過重大的影響。然而，有關這些文本的環境背景論點（contextualism），其價值觀不可用之太過。儘管我們可以將理解中國經典的焦點放在對環境背景的瞭解上，並以此作為理解中國經典最主要的方法，但是我們也必須認識到這些關於環境背景的論點，並非總能完全清楚明確且牢不可破地去解決這些文本中的疑義。因此，就此情形而言，利用文本批評的方式可將讀者原先專注的焦點重新轉向，並使讀者在文本理解上能求得其他的可能性。

在歷史的環境背景中去尋求文本的真義，可以確知文本最底層的真義是無法求得的，所求得的是受到歷史影響的意義，至少從現在這些作者的觀點來看是如此。這樣的結果何以會出現，則是需要我們去證明的。至於這些受到歷史影響的意義是否就是文本真正根本意義的反映或是不完整的理解，又或者這根本意義是我們可藉由不同版本之間的探討而得，則是每位讀者必須自己去尋求解答的問題。

第二，關於類型（genre），即中國經書的注釋類型與經書本身

的類型。這些類型的分類體系（typologies）在歷史上如何作用，且在歷史上如何被定義，以及此領域的學者如何從當下的時代跟文化來了解這些分類體系，則是我們要關注的。中國在文本的注釋類型上，有著行間夾注（interlinear textual commentary）的傳統，儘管這個注釋的類型並不只用於經書，但仍與其他文本有很大的關聯，因此我們很難只研究某書而忽略他書。雖然這些學者對經書中原始的意義興趣不高，將之置於次要的位置，但他們仍從文本的原始用字（original words）、各種不同類型的注釋，注釋者思想上的關注、假設（intellectual concerns and assumptions）、所處的時代三個方向進行交互討論。

本叢書所收錄的這些著作還有另一個共同的傾向，即這些學者或多或少想要將經書與給予其生命與發展的母體（matrix，即儒學的信念和道德實踐）分開，這反而使得在定義儒學思想學派時，大多是以經書的研究來定義。因此，本叢書的這些譯著很自然地將經書置於撰作和解釋經書的時代思想背景中去研究，也就是說，這個背景雖然是以儒學為主，但文本皆是各自獨立運作的。

在某些作者的其他著作中，特別是韓德森（John B. Henderson, 1948-）及韓子奇（Tze-Ki Hon, 1958-），皆曾強調經書與正統儒家傳統本身定義（self-definition）的關係。然而，在本叢書的著作中，作者們認為個別的經書或經典本身的主要部分為一思想文化的存在實體（entity），是直接屬於廣大社會和政治環境背景（milieus）的一部分，而他們這樣的想法比起將之認為是屬於儒學的，可能更加合適且有所超越。

經書存在於儒學的背景下已有兩千多年之久。也就是說，兩千多年來讀經、注經及釋經、以及經書的教授在不同階段的教育中，這整個的過程幾乎是以經書是儒家思想基幹（backbone）的含義來進行

的，而這裡的儒家思想在意義上可理解為一種態度或一種共有的價值觀或目標，而不只是信仰、文本或禮節儀式這種核心的定義。自中國傳統君主專制政體滅亡後，社會上和思想上產生了急遽的轉變，儒學的社會和政治地位也產生了極大的變遷與不明確的情形。雖然治世的目標在國家、家庭、個人的層面上依然強烈，但已很少人會依儒學所標的綱目去追求，而這時移世變的觀點也不能不對中國本土的經學研究造成普遍的影響。相反地，西方對儒家經典的討論，除了幾個學者的論點之外，通常能不為儒學所遮蔽而進行。

最後一點是，相較於中國學術界研究經典的主流，本叢書所收錄的這些著作對與經書相關的二次文獻（secondary literature）則並無太多的討論參與其中。雖然有時候對二次文獻的討論確實是有出現的，但在作者主要的論述中通常是次要的。這些研究真正著重的反而是經書中潛藏的、未明言的內在意義，而這也與現代西方思潮關注的議題緊密相關。這些議題與英美在史學理論的論述上有更多的相關性，而與法國或德國在這些議題的論述發展上不大相關。在這些論述中，有三方面的議題值得關注，即決定論（determinism），單元觀念（unit ideas）與傳承（transmission）。

決定論這個議題指的是我們是否可以瞭解文本的內容是什麼，以及我們何以可以確定我們對文本的內容是瞭解的。文本是否有意地留有繼續討論的空間（open-ended），又或者這樣的討論空間會出現有一部分是因為作者本身無法確定自己的意義是否正確，而有一部分是因為讀者無法穿透文化及語言變遷的厚重面紗而獲得文本最後的真義呢？另一個與決定論意義不同的議題，也就是不確定性（indeterminacy），也在二十世紀初由物理學家們所提出，而自這個議題提出後，也對同時期的當代西方文學及文學批評造成影響。決定論是二十世紀初實用主義（pragmatist）思想學派所關注的核心議題，

特別是詹姆士（William James, 1842-1910），他主張真理（truth）和
觀念（idea）兩者之間若缺乏一種穩定的關係，那麼觀念便會藉由發
生在真理和觀念的事件過程中變成真理。本叢書這些著作中的基本理
解背後，也含有此一態度。

　　相對於不確定性的流動性、可變移性（the fluidity of
indeterminacy），也就是單元觀念的概念，儘管這個概念在主要倡議
者羅孚若（Arthur O. Lovejoy）提出後，便在提出的方法上受到嚴厲
的批評，但這個概念普遍影響了學者們的思想史觀。雖然批評羅孚若
的人否認這些單元觀念是可隨著時間流逝而持續存在並發展演化的實
體，但在中國經典的背景下，使我們很難不去聯想到發揮在中國經典
結構研究（structure study）上的基本概念，與單元觀念有著極為相似
之處。在本叢書中，我們可以看到西方學者從這個論辯的背景展開研
究，並以這些概念中更精微的觀點作了明確的定義。

　　「傳承」這個議題可視為前兩個議題的延伸。傳承指的是在學者
之間如何建立共享的觀念（ideas）和實體文本（physical texts）。被
經典化後的文本在還未形成文本之前，是以口耳相傳的方式傳承。
我們若要對這段口耳相傳的時期有所瞭解，可從帕里（Milman Parry,
1902-1935）與洛德（Albert Lord, 1912-1991）二人早期對西方荷馬經
典作品的研究中去追溯，而他二人的研究，也有助於我們重新思考中
國經典初期形成的問題。後代學者在研究上所關注的議題，則多來自
於以下兩方面：一是要瞭解記載與複製文本的方法對文本理解的重大
影響性，另一是要瞭解文本如何對其所關注的時代社會具有影響力。

　　其中還有一個議題要討論的，就是這些作者如何選擇想要研究
的經書。如同宋代偏重《四書》的研究，西方在研究中國經書時似乎
也著重在較為平易近人的文本上，也就是《易》、《詩》和《論語》，
特別是從上個世紀的中葉開始。至於《尚書》、《禮記》、《春秋》這

三部經書，西方則鮮少注意。這或許有部分的原因是此研究領域中以英語從事研究的學者，他們在閱讀中國經書時的需求與本身的才能，因為他們最感興趣的中國經書，是那些恰巧可符合現代世界某些情形的價值觀並以之作為評價的經書。而《尚書》、《禮記》、《春秋》這三部中國早期的經書之所以未能成為近期西方研究的主流，可能與其文字和語言研究上的不易有關。

除了選擇想要研究的經書之外，還有一個議題是西方的學者在過去五十年是如何研讀這些經書。過去五十年西方學者研讀經書的方法是與宋學派學者相近的，正如賈德納（Daniel K. Gardner, 1950- ）所說的「以當代的語言去『重新閱讀』文本」，而非漢學派的釋經方式。雖然此二學派（若漢學、宋學真正可被認為是學派的話）的對立立場，已於過去幾十年中大大地和緩下來，但此二學派仍持續保有其某些特定研究方面的特徵記號可供區分。然而，西方對中國經書的研究並沒有朝向中國那樣的劃分方式發展，也就是說，在西方雖然經書本身仍各保有其相當清楚明確的定義，但經學本身是否以學科的方式存在則很難說。

最後還有一點，我們可以注意到這些作者與中文著作的作者有許多不同之處，是因為兩者各有各的讀者，而且兩方讀者的設想與興趣也不盡相同。西方的讀者大致上多喜好在中國經書研究之外，繼續與思想史相關的議題；相反地，中國的讀者則想要對經書相關的議題更加專精且瞭解。因此這些作者在著作中一方面呈現自己對文本意義的理解，另一方面則論證這些文本在意義上有其流動性。

最後我想以一句英文的諺語作為總結，這句諺語是「將煤礦運往新堡市（Carrying coals to Newcastle）」，意即多此一舉、徒勞無功，因為新堡市是英國歷史上煤礦輸出的主要海港之一。但這句諺語在美國有著第二層含義或反響（resonance），這是因為美國早期一

位來自麻薩諸塞州（Massachusetts）的商人戴思特（Timothy Dexter, 1748-1806），於十八世紀末真的將煤礦裝船運往新堡市，並藉此發了一筆小財，因為這批煤礦在運抵新堡市的時候，正巧遇上煤礦工人罷工事件，也因此煤礦的需求量激增。

　　我懷著謙卑之心以此英文諺語作為本西方學者詮釋中國經典叢書總序的總結，是因為這個研究主題在中文方面的研究成果已經相當豐碩；我也希望能從這些英文研究著作中，發掘出某些具有價值的觀點，並將這些觀點運回此研究領域的發源地。雖然研究經學的學者在從事研究工作時，幾乎不會停止或怠惰，但本譯著叢書在某些方面與他們致力研究的方向上既有相似又有不同，這或許可引發他們對本譯著叢書的興趣。讀者在閱讀本譯著叢書時，或許會發現有某些觀念是他們過去所熟悉的，而有的則是具有新穎性和挑戰性的觀念。在過去的幾十年間，華人學者與西方學者在中國學術研究的成果上，兩者之間的差距已明顯地拉近；中央研究院中國文哲研究所經學文獻組出版本譯著叢書的目的，也在於進一步地使東西方學者一同為中國經學的研究而努力。

貝克定

2010 年 11 月序於

臺灣花蓮國立東華大學歷史學系

目次

《孔子之前》中譯本序

夏序

　　《孔子之前》這個小集子是上個世紀九〇年代中收集的（1997年出版），所收八篇文章都是此前撰作的，甚至有幾篇是十幾年前我還在學生時代寫的。現在校對幾十年前所做的文章的中文翻譯，一方面我對內容都很熟悉，但是從另外一方面卻感到相當矛盾，有一點覺得自己並不認識作者。這當然是因為時間一直在改變，像孟子說的那樣「彼一時，此一時也」，我自己的研究興趣也一直在改變，現在的「我」已經不是二十年前的我。不僅僅我是這樣，人人皆如此。然而，還有一個原因是這些中文譯文好像不是我自己寫的：這些文章原來是為了西方讀者用英文寫的，中文譯文儘管翻譯得很好，但是畢竟是譯文，不是原文。這不純粹是語言問題，而更重要的是怎樣表達學問的問題。我自己經常用中文撰作學術文章（甚至，現在幾乎只用中文撰寫學術文章），我知道得很清楚，西方讀者和中國讀者有不同的基本知識、不同的閱讀習慣、不同的分析方法和不同的論證方法。《孔子之前》所收集的文章原來都是針對屬於西方學術環境的讀者而寫的。儘管中文譯文的語言都很通順，但是不知道文章的學術概念能不能同樣清楚的表達出來。翻譯者都下了非常大的功夫，希望中國讀者可以略窺其概要。

　　於此順便說一下翻譯的過程。很多年以來，每次訪問臺灣的時候，都受到中央研究院中國文哲研究所教授林慶彰先生非常友好的招待，經常邀請我在文哲所作學術報告。從大概是二〇〇七年開始，林教授配合他主持的「儒家經典之形成」研究計畫，要讓中國讀者多知

道西方漢學家的學術工作，請了臺灣中文學界的楊濟襄（中山大學中國文學系副教授）和黃聖松（樹德科技大學通識教育學院副教授）將《孔子之前》翻譯成中文。這個工作非常辛苦，到二〇一一年春天基本翻譯工作才完成。不過，我自己校對翻譯原稿的時候仍然感到不滿意。正好這個時候，有兩個年輕同仁同意利用他們寶貴的時間來整理譯文。一位是我自己的學生黃冠雲博士。黃博士從芝加哥大學畢業以後，聘任臺灣清華大學中文系教授。另外一位是臺灣大學博士范麗梅博士。范博士畢業以後在芝加哥大學作了一年的博士後，現在聘任中央研究院中國文哲研究所研究員。更幸運的，再過一段時間，我另外一個學生周博群先生翻譯完我另外一本書（即《重寫中國古代文獻》〔上海：上海古籍出版社，2012年出版〕），同意加入黃冠雲教授和范麗梅博士的行列。他們一起為《孔子之前》作了最後的翻譯工作，最後再由范博士進行最後的編輯。他們三個人能夠配合原來幾位翻譯者完成這樣一本書實在很不簡單，我自己實在無法表達我的心情。儘管說我自己有點不認識作者，然而我仍然很高興中國讀者終於能夠閱讀《孔子之前》這個小論文集。在此向林慶彰、楊濟襄、黃聖松、黃冠雲、范麗梅、周博群表示十分懇切的感謝。內容難免有不妥之處，都是我自己的責任。

最後，想指出原書包含獻辭，是獻給我自己的父母親。因為他們的靈魂看不懂中文，所以本次出版中文譯文的獻辭有所改變，獻給我的先師愛新覺羅毓鋆先生（1906-2011），以為紀念。在某一程度上，毓老可以說是我中國知識的父親，所以這樣的獻辭也非常妥當。儘管我知道毓老不會接受《孔子之前》的某些觀點，但是他一定會很高興知道孔子之大道已經貫通了中西兩個學術界。

夏含夷

2012 年 9 月 24 日於芝加哥

導論

子曰：「夏禮，吾能言之，杞不足徵也；殷禮，吾能言之，宋不足徵也。文獻不足故也，足則吾能徵之矣。」

《論語‧八佾》第九章

子曰：「周監於二代，郁郁乎文哉！吾從周。」

《論語‧八佾》第十四章

子曰：「述而不作，信而好古，竊比於我老彭。」

《論語‧述而》第一章

兩千多年來，中國傳統一直認為孔子建立了經典書籍，其方式有藉由挑選、編輯與在某些情況下評論關於夏朝、殷商，以及特別是西周時期的文學遺產。《周易》（亦稱作《易經》）、《尚書》（亦稱作《書經》）以及《詩經》在中國學術傳統中的崇高地位，撇開其不容忽視的內在價值不說，在一定程度上是因為這些經典書籍都被認為是夏、商以及周三代的古老聖人所創作，並且之後由孔子本人所傳承下來。

這個傳統一直到中國帝制時代瀕臨瓦解之時，才首次遭到許多學者的共同質疑。持本土主義論的今文學者為了要為中國傳統尋找一位救世主，因此將所有相關的創作行為都集結在孔子一人身上。[1]當然，

1　此浪潮在康有為（1858-1927）所提出的荒謬看法中達到了最高峰。康有為認為劉

十分意想不到的是，為了得到這樣的救世主，他們必須要捨棄傳統的相當多的部分。沒有多久，其他受到二十世紀破除偶像迷思運動精神鼓勵的學者認為犧牲孔子其實也是可行的。他們不只認為今文學者的學問過於天真，同時甚至也拒絕接受孔子在傳承經典上所扮演的角色。的確，在一九二○年代到一九三○年代的「古史辨」運動中，那些最為人稱道的研究便否認了許多經典創作的古老年代，當然也否認了其背後的聖人譜系。[2]

同樣的，在西方也有類似的情形發生。十九世紀德國《聖經》學者的歷史主義首度質疑了關於《聖經》乃上帝所揭示的說法。接下來，在二十世紀初期，無線電報時代的來臨，恰巧和I對於所有傳統經典名著來源的全面攻擊及質疑在同時間發生。同樣在《聖經》研究中，形式考證學者宣稱他們可以在《聖經》許多故事中發現它們的口述來源。[3]類似的研究方法在研究希臘文學名著中也同樣的被採用。例如Milman Parry就在其關於口述－格式化詩歌的經典著作中提到，其實荷馬從未書寫過文字；[4]之後的研究也確實證明了希臘人在公元前

歆（公元前46-23）編造了所有的古經；關於康有為以及相對較為合理的先前的研究，請參見Benjamin A. Elman, *From Philosophy to Philology: Intellectual and Social Aspects of Change in Late Imperial China* (Cambridge, MA: Council on East Asian Studies, Harvard University, 1984), 22-25；Benjamin A. Elman, *Classicism, Politics, and Kinship: The Ch'ang-chou School of New Text Confucianism in Late-Imperial China* (Berkeley: University of California Press, 1990)，尤見頁222-231。

2 顧頡剛等編：《古史辨》，共七冊（1926-1941年；上海：上海古籍出版社，1982年重印）。另一件有趣的事是有關於中國考古學的發展。起初，中國考古學是和破除偶像迷思的「科學」精神相關聯，但是現在在接近二十世紀的末期，中國考古學卻恢復了古典傳統的古代來源。筆者將在此篇導論以及在此專書中做相關討論。

3 關於形式考證學派的歷史淵源以及其研究方法的扼要介紹，請參考Gene M. Tucker, *Form Criticism of the Old Testament* (Philadelphia: Fortress Press, 1971)。

4 關於Milman Parry對於口述創作史詩的經典論述，請參見Albert Lord, *The Singer of Tales* (Cambridge, MA: Harvard University Press, 1960)。

七〇〇年之前，基本上是不識字的文盲。[5]

　　西方的漢學研究，同時吸收了來自中國以及西方的研究浪潮的影響。在追溯中國早期的文學作品時，主要的研究重心都放在孔子之後諸子百家的作品上面。這些諸子百家典籍當然值得仔細研究，但因此卻導致孔子之前的經典相對不受到注意，而這也部分歸咎於許多學者對這些經典的歷史真實性所表達的懷疑。的確，《周易》、《尚書》、甚至《詩經》等經典雖然在過去被傳統學者認為是三代（夏、商以及西周）歷史的主要記錄，現在卻因為它們在時間以及作者上的爭議，而竟然被認為阻礙了這個時代的歷史的研究。至少對於那些關注三代時期的文學創作的西方漢學學者是如此的。無疑，一直都有為數不多的學者研究這個時期的古文字資料——殷商時期的甲骨文以及西周時期的金文，但是這些學者似乎都傾向於忽略——不論是故意地或者是無心的——這些傳世的經典著作。同時，那些專門研究古代經典的創作——主要是《詩經》——的少數作品，或者只是表現出狹隘的語言學研究興趣，[6]或者只是相當機械化地企圖要將在西方發展的方法運用於中國語境上。[7]似乎在許多西方的漢學學者之間普遍存在著一條沒有言明的假設，此假設的主要內容是假若西方經典文學原來不是用文字書寫的話，那麼中國的經典文學也一樣原來不是用文字書寫的。

　　然而根據筆者過去所研究的中國古文字資料來說——基本上是西周銅器銘文——不理會許多反對崇拜聖像者以及比較論者所持有的偏

5　比如 Eric A. Havelock, *Preface to Plato* (Cambridge, MA: Harvard Belknap Press, 1963)。

6　W. A. C. H. Dobson, *The Language of the Book of Songs* (Toronto: University of Toronto Press, 1968).

7　C. H. Wang, *The Bell and the Drum: Shih Ching as Formulaic Poetry in an Oral Tradition* (Berkeley: University of California Press, 1974)，試著將 Parry-Lord 關於口述—格式化詩歌的概念應用到《詩經》上。

見，古代的中國是一個具有極高書寫文化的社會，至少在宮廷之上以及對於當時社會上的達官顯貴來說是如此，也因此完全有能力創造出通常與之聯繫在一起的傳世典籍。一方面，在當時的中國，各種類型的青銅器皿是象徵社會地位的主要表徵。另一方面，筆者認為這些青銅器皿上面的銘文增加了這些器皿的價值，或者也許可以說，在很大程度上，就是因為銘文的存在而有價值。[8]現在這些青銅器成為我們在研究西周歷史時最佳的參考資料來源，畢竟這些青銅器上的文字記載一直被完整地保存到今天，上面的文字就如同三千年前作者剛剛書寫上去一樣地完整無缺。然而，有證據指出上面的文字在寫成的時候，這些文獻內容只是第二手甚至是第三手的資料，而非第一手的資料。

舉例來說，在一套目前至少還有十個流傳下來的青銅器上，有數則基本完全相同的銘文。銘文是為一個名叫頌的男子所鑄造，內容主要是描述有關於頌接受命令要去掌管不同的倉庫所發生的事情。而這段銘文的內容，主要是依據頌這位男子在宮廷覲見君王時所接到的詔書所寫成。[9]就像實際上有數百個的其他例子一樣，這段銘文首先明確地表明君王接見頌的時間和地點（根據此處來看，這裡的時間應該是公元前八二五年五月十日，地點則是在康宮的召王廟中的大室）以及當時隨侍在君王身邊的其他大臣（在此處所指的應該是宰引以及史虢

8　有證據指出，當時人們視為最有價值的青銅器是有長銘文的青銅器，它們常被保存在祖先宗廟裡，而有較短銘文的青銅器，則是會隨著去世的親人下葬，埋到墓穴中。關於這些情形的統計請參見 Edward L. Shaughnessy, *Sources of Western Zhou History: Inscribed Bronze Vessels* (Berkeley: University of California Press, 1991), 158-163, 表格 13，以及頁 157 上之討論。

9　關於此段銘文最詳盡的研究以及討論，請參見白川靜：《金文通釋》，收入《白鶴美術館誌》（神戶：白鶴美術館，1962-1984）。此套銅器至少有壺兩件、鼎三件以及簋五件，上面全部都有幾乎一樣的銘文，主要的差別只在於其行款長短的不同以及鑄成器名稱的不同。此處所呈現的銘文為頌簋上面的銘文。

生）。此處銘文的描述比起其他的銘文來說更加的詳細，因為它還記錄宰引如何接受準備好的詔書，[10]而此王命應該就是書寫在木簡或者是竹簡上。接下來史虢生被命令將王命的內容大聲宣讀出來。[11]又接著史虢生被命令向頌宣讀王命，連同將要賞賜給頌的物品清單[12]。之後，準備好的王命簡書被交到頌的手上。[13]接受冊命，將之配在固定其衣袍的衣帶上，然後便步出宮殿。當頌之後請人來鑄造銅器慶祝這個任命的時候，他一定將這份詔書的內容複製鑄造在銅器上，[14]僅是追加了將器物奉獻給其死去的父母的詞語，以及為自己祈福、服侍君王的能力、其後代子孫都能萬年延續祭祀的詞語。由於此段銘文或許是目前我們可以知道的關於這個處處可見的冊命受禮的最佳紀錄，因此有必要將這段銘文內容完整抄錄如下。

〈頌簋〉

唯三年五月既死霸甲戌，王在周康邵宮，旦，王各大室，即位，宰引右頌入門，立中廷，尹氏授王命書，王呼史虢生冊命頌，王曰：頌，令汝官司成周貫，監司新造，貫用宮御，賜汝

---

10 其他同樣有描述命書收受的還有免簋、裵盤以及趩簋。關於以上之銘文請參見上海博物館編：《西周青銅器銘文選》，共4冊（北京：文物出版社，1968年至今），號423。

11 在這裡所使用的「冊命」的表述，字面上來說是表示「記錄命令」的意思，此表述見於一定數量的西周銅器冊命銘文。雖然這個表述的涵義過去有一些爭議，然而筆者認為六十年前由顧立雅（Herrlee Creel）所提出的見解：「藉由宣讀出含有王命的詔書來下達命令」，是基本正確的；請參見 Herrlee Glessner Creel, *Studies in Early Chinese Culture: First Series* (Baltimore: Waverly Press, 1937)。

12 似乎這些要賞賜給頌的物品早就已經事先記錄下來。關於只有記載這些賞賜物品（賞賜的物品特別註明是被書寫下來的「冊錫」）但是沒有提到任何王命的銘文，請參見休盤、瘭盨以及十三年瘭壺，以及上述註10提過的裵盤。

13 關於類似的例子，請參見善夫山鼎以及東周時期的洹子孟姜壺。

14 關於有明確提到記錄王命內容的銘文，請參見榮簋。

> 玄衣黹純、赤市、朱衡、鑾旂、鍪勒，用事。頌拜頴首，受令
> 冊佩以出，反，納瑾璋，頌敢對揚天子丕顯魯休，用作朕皇考
> 龏叔、皇母龏姒寶尊殷，用追孝祈匂康龢純祐，通祿永命，頌
> 其萬年眉壽無疆，畯臣天子需終，子子孫孫永寶用。

　　青銅器銘文中也有證據顯示，這些王命內容的複製本應該是被保
存在皇室的檔案室裡頭，而且當君王要再次指派人員官位的時候，這
些複製的內容就會被君王以及書寫員拿出來做參考。許多的銘文引用
這個君王的話說「昔余既令汝……」。很幸運地，在兩件內容都是在
描述一位叫做師兌，但是卻在不同時期所鑄造青銅器上的記載顯示，
這句話所引用的應該是前述關於賞賜王命書裡的一句話。大約在公元
前八五七年所鑄造的元年師兌簋上的銘文，記載著除了冊命儀式上常
見的記述之外，還特別記錄了要師兌去「胥師龢父，司左右走馬、五
邑走馬」。而在筆者認為是公元前八五一年所鑄造完成的三年師兌簋
銘文記載中，對於師兌所下的王命「余既令汝胥師龢父，司左右走
馬。今余隹申京乃令，令汝兼司走馬」。

　　除了這些在王室官僚中的官位委派紀錄之外，銅器銘文中所記載
的內容，也顯示當時的皇室檔案中應該還典藏其他各種不同類型的紀
錄。師旂鼎上的銘文記載著師旂在他所指揮的軍隊叛變後所舉行的聽
證會。在判決宣佈之後，銘文中記載著師旂的助手隨即「以告中史
書」。一如預期，耕種土地的登記紀錄也被保留了下來。舉例來說，
在克盨的銘文中記載「典善夫克田人」。[15] 還有一些其他的銘文則是很

---

15 也有一些學者認為在參尊上面的銘文有提到君王賞賜給邢侯二百戶家族侍從
　的「齋」或「劑」，關於這些契據以及戶口登記請參見David N. Keightley, "Public
　Work in Ancient China: A Study of Forced Labor in the Shang and Western Chou" (Ph.D.
　dissertation, Columbia University, 1969), 202-209。

直接地提到劃定土地邊界的地圖的製作，[16]很有可能這些地圖就是典藏在「圖室」中。至少有兩件不同的銘文提到這個圖室位於周朝王室的宮殿內。[17]

傳統認為是西周時代所作的經典文獻也經常提到王朝宮廷所發出的文件紀錄。有些時候，這些記載非常自然而且輕描淡寫地提到這些文件紀錄，以致於我們幾乎可以不用質疑它們是無所不在的事實。舉例來說，在《詩經·出車》講述關於漫長征戰的艱苦，提到軍隊「畏此簡書」，此「簡書」應該就是君王要軍隊往前攻打的命令。《尚書·召誥》提到了一段關於周公對於聚集在成周新城的殷商遺民所做的演說，可以看得出來，周公此次的演說是之前就已經擬好的草稿：「周公乃朝用書命庶殷」。

在《尚書》的其他章節中也指出，文字史料在宮廷的典禮中也是廣泛地被使用。《尚書·洛誥》提到在祭祀先王所舉行的祭典之後，當時在位的周成王（公元前1042/35-1006年在位）命令名作逸的史官「祝冊」，應該就是事先準備好的禱告文字。[18]在《尚書》中鉅細靡遺地描述周成王的死去以及周康王（公元前1005/03-978年在位）繼位為王的〈顧命〉一章中，其高潮點就是大史「秉書」，在祖先宗廟的祭壇上，將周成王最後的遺願以及遺言大聲地宣讀給即將繼位的周康王

---

16 關於這些討論，最經典也最詳細的記載見於散氏盤；另外的一個例子請參見倗生簋。

17 關於圖室則是記載於膳夫山鼎以及無更鼎。

18 這段祭禱文中的內容，大概和甲骨文上的紀錄相似。關於早期西周甲骨文上的紀錄，請參見Edward L. Shaughnessy, "Western Zhou Oracle-Bone Inscriptions: Entering the Research Stage?" *Early China* 11-12 (1985-1987): 146-194。然而有證據顯示，較為有名的殷商時期甲骨文一直要到占卜儀式都完成之後才會以文字記錄下來；請參見David N. Keightley, *Sources of Shang History: The Oracle-Bone Inscriptions of Bronze Age China* (Berkeley: University of California Press, 1978), 45-46。

知道。除此之外，在〈金縢〉記錄的著名故事中（儘管這個故事的最終文本一定是在故事中所描述的事件發生之後相當長一段時間才寫成），周公在替病危的周武王占卜其命運時，是在使用龜殼占卜之前就已經將他的祈禱詞給事先準備好了（「冊祝」）。在占卜結束之後，周公將這些簡書藏於金匱之中，而最後周成王就是在這些金匱之中發現周公的祈禱詞。筆者認為這些關於西周時期的書寫文化的記載，基於其範圍之廣泛以及其種類之多元，使我們根本不需懷疑西周人民書寫文字的能力與興趣。就如同顧立雅（Herrlee G. Creel）六十年前就提出過的：「我們必須要去接受這個事實，周人相當喜愛書寫典籍。」[19]

　　本專書中所呈現的八篇研究，都是分別以不同方式討論周人所著作的典籍。其中有兩篇探討《周易》、兩篇探討《尚書》、兩篇探討《詩經》，有一篇是討論《逸周書》所載有的一篇，而另一篇研究則是探討在較後期的史書《竹書紀年》關於周武王以及周成王時期的紀錄。在這所有研究之中，筆者首先要探討而且也最重視的議題，是這些典籍如何被寫成，為了什麼原因被寫成，以及這些典籍在原來的語境中有何意義。在某些情形下，筆者尋求這些典籍後來的歷史以及之後他人所作之註解，由此解釋如何以及為什麼之後的一些哲學上的觀點，使得這些文本原來的意思被修改或遮蔽。雖然這些研究是在一段十五年長的時間內才完成的，但是利用孔子的話，筆者認為它們是可以一以貫之的。

　　本專書中所探討的第一篇研究〈結婚、離婚與革命——《周易》的言外之意〉，雖然在一九九二年出版，但是卻是從筆者一九八三年的博士論文《周易的編纂》（*The Composition of the Zhouyi*）的主要觀

---

19 請參見 Herrlee G. Creel, *The Birth of China* (New York: Frederick Ungar, 1937), 255。

點加以衍生而發展出來的。在此研究中，筆者探討了一段記載於《易經》中關於周文王（公元前1099/57-1051年在位）和殷商倒數第二位帝王帝乙（公元前1105-1087年在位）的一個女兒間的婚姻的歷史插曲。運用近代《古史辨》運動中的歷史學觀點，特別是如果和《詩經》的內容一起拿來做對照的話，筆者認為此段故事的內容暗示著周文王和帝乙女兒間婚姻的失敗，但是周文王之後卻和妾生下了日後王位的繼承人，也就是未來的周武王。而周武王也就是最後推翻殷商王朝，並且建立西周王朝的開國君主。筆者延用了部分研究《易經》的傳統觀點，進一步指出對於這個反轉概念的認識，對於未來命運不確定性的認識，成為了在西周末期完成最後編本的《易經》裡所要表達的中心思想。筆者在此研究中，所採用的現代和歷來傳統的詮釋方法，是本書研究方法的原則——採用新的證據來重新討論這些經典，然而同時間也保持和傳統學界對於這些經典解釋的一致性。這也就是為什麼在時間年代的先後順序的考量以外，筆者將此研究放在此專書中的第一篇。

第二篇研究〈武王克商的「新」證據〉，雖然是筆者所刊載的第一篇文章，但在這裡所呈現的版本有大體上地修改。在此研究中，筆者檢視了《逸周書》其中的一篇〈世俘〉的內容，此篇內容主要是提供了西周征商的編年紀錄。這些內容所記載的征商過程是極其暴力以及血腥的。因為儒家思想家認為像周文王以及周武王這樣德性甚高的君主要代商而立時，不應該遭遇到任何殷商人民的抵抗，所以至少從公元前四世紀開始，此篇就經常被認為是偽造的，而且也因此從《尚書》中被抽掉，並且只保留在比較不顯赫的《逸周書》中。然而，藉由將〈世俘〉中所使用的語言和殷商甲骨文以及西周銅器銘文作比較，筆者認為〈世俘〉只有可能是在西周初期所完成，而且此篇一定是現今《尚書》中的其中一章〈武成〉的原始編本。同時恰正相反

的，現今《尚書》中的〈武成〉，事實上才是偽造的一篇。雖然筆者
已經或多或少修改過本文的一些內容，來呈現筆者現今對於此篇以及
西周早期所使用的語言的了解，但是筆者還是保留了當初一段年青人
所有的雄心壯志的結論：

> 每當鑄有銘文的青銅器出土時，現代學者們的興奮是完全合理
> 的。但土地並不是唯一埋藏真實記載的管道。在〈世俘〉的例
> 子中，儒家理想主義同樣掩埋著真相。讓我們不要屈從於自己
> 的偏見而向非地下出土的證據說不，而要像對待新出土金文一
> 般檢驗這份文獻。無論是在年代、軍事還是朝廷禮儀等方面，
> 〈世俘〉可以告訴我們許多關於西周早期的事情。

如此的情操讓筆者在接下來的十五年中陸續完成了本專書中的其他研
究。

本專書中的第三篇研究，〈《竹書紀年》的真實性〉，是本專書中
唯一相當例外的一篇，因為此研究並沒有牽涉到任何一部孔子時代之
前的經典。相反的，此研究重心則是放在大約公元前三○○年所編輯
完成的一部編年史史書內容上。然而，筆者將此研究放入本專書中有
以下三個原因。首先，筆者所研究的歷史主要是有關周武王的死亡，
而周武王之死在西周早期的歷史上，以及在本專書中的其他研究裡是
佔有相當重要的一個地位。其次，筆者在此研究中，認為《竹書紀
年》中所記載的內容在公元三世紀時，即使是不小心地，但是仍然有
被更改過的痕跡，目的就是為了要使之和當代的歷史解讀一致。但
是藉由引用新的證據竟然可以還原原本的史料內容，並且證明此史
料（或者至少是某些部分）的真實性，而此種研究方法則和筆者在本
專書中其他研究中所使用的方法是很相似的。再者，雖然我們並沒有
任何類似在西周時期所書寫的編年史史書，但是筆者將感到非常訝

異——如果當時真的沒有任何類似《竹書紀年》這樣編排方式的史書存在的話。

在此研究之後，筆者所要呈現的是兩篇互補的研究，內容關於西周王朝的開國功臣周公以及召公。在〈周公居東與中國政治思想中君臣對立辯論的開端〉中，筆者檢視了《尚書》中據稱是由這兩位人物所寫的兩章內容。筆者認為周公和召公各自反映了完全不同的政治觀點：一個重視君王的特權，一個重視良臣的監控。筆者與差不多所有的傳統解釋不同，認為重視賢臣良相的周公在此辯論中是處於落敗的地位，也因此而被逐出了西周宮廷。這可以說明為何周公在同時期的文獻中甚少被提及。至於召公，相對於周公，在西周時期的文獻中變得極其重要：例如在《尚書》、《詩經》以及——最重要的——西周時期青銅器銘文中。在〈大保夐在周王朝的鞏固中所扮演的角色〉的研究中，筆者檢視了和召公有關的所有文獻，包括那些發生在召公和周公辯論之前，但特別是那些辯論之後的文獻，結論是召公應該是促成西周王朝長子繼承制度成立的主要推手。

在筆者最新完成的研究〈由頌辭到文學——《詩經》早期作品的儀式背景〉中，筆者重新檢視了和召公有關《尚書》的其中一章〈顧命〉。〈顧命〉章節中主要是在描述召公在周成王死後，周康王要繼位為王時所扮演的角色。藉由和《詩經》中〈周頌〉三首詩以及〈顧命〉章節中語言用字的比較，筆者認為這些《詩經》中的詩本質上是屬於祭典儀式中所使用的，其目的是要在宮廷儀式中被吟誦出來。筆者進一步檢視那些主要針對祖先祭典中所使用的詩，發現那些根據其語言型態被認定是在西周早期所完成的詩句，和那些在周穆王時代（公元前956-918年在位）之後才完成的詩句有很大的不同。其不同點在於，一個是屬於表演性質用的詩句，而另外一個則是比較屬於描述性質用的詩句。筆者認為詩歌在功能上和形式上所發生轉變的時間

點，恰巧相吻合於見於考古證據、大約在周穆王時期所發生的一個祭典儀式上的巨大轉變。當筆者在本專書中的每一篇研究都引用了考古提供的銘刻證據來佐證的同時，筆者也相當慶幸在此研究中可以加上一些當時期的物質文化來加以論述。

在第七篇研究〈〈乾〉與〈坤〉的書寫——論《周易》裡的卦象〉中，筆者採用了現今在研究西周文化時被證明是非常重要的一個方法，即歷史天文學，或者是逐漸為人熟知的考古天文學。此研究至目前為止只有以中文出版，[20]可是所呈現的內容基本上是筆者博士論文中的內容。筆者在史丹福大學撰寫博士論文的期間，多次聽到指導教授倪德衛（David Nivison）和同學班大為（David Pankenier）討論有關他們對考古天文學以及早期西周歷史所做的研究。相當幸運的，筆者當時為了能夠跟上他們的討論所作的關於中國天文學史的閱讀，促使了一個關於《易經》中開頭的兩個卦象，而且也是最重要的兩個卦象——乾卦和坤卦——的重要發現。這個發現大大影響了筆者對於《易經》創作過程的理解，而此理解也體現在本書第一篇〈結婚、離婚與革命——《周易》的言外之意〉。

本專書中的最後一篇〈女性詩人何以最終燒毀王室〉，是對於《詩經·汝墳》所作的研究。就像在許多其他的研究中，筆者認為此首詩的原義——在此例中相當明顯地是和性慾有關——遭到道德說教的孔門編輯者的修改與湮沒。就此例而言，筆者懷疑這是有意為之的。藉由結合現代學界在研究《詩經》上的進步和古文字學上的證據，而這也是此詩的原貌，也是它在漢代編輯者眼中的樣貌，筆者認為此詩第三節的解讀應該要和前兩節的解讀一致，都同樣帶有性的比

---

20 請參見夏含夷：〈周易乾卦六龍新解〉，《文史》第24輯（北京：中華書局，1985年），頁9-14。

喻。此解讀有可能是錯誤的（這也就是為什麼這是這本書中唯一一篇先前沒有被出版的原因），但是這也是為什麼這首詩對於筆者來說這麼值得欣賞；同時，筆者也希望對於各位讀者來說，也可以同樣地感受到此首詩值得欣賞。

筆者冀望當各位讀者在閱讀這些研究內容時，可以感受到筆者在過去十五年中，在重新考慮這些在過去三千多年來，世界上最偉大古文明之一裡最重要的一些古代經典典籍時，內心的感動以及喜悅。同時，在即將邁入二十世紀末的今天，藉由思想潮流和考古學證據的結合，使我們可以有特別的條件審視這些古代經典是如何被創作出來。

（黃聖松、周博群　譯）

1
結婚、離婚與革命
——《周易》的言外之意

　　《周易》經文定本出現後，人們就對其包含的神秘意象進行解釋，以便使它適於宇宙萬物，這樣，《周易》就由一本原用於占卜的書籍而成為歷代智慧的文存。[1] 儘管這種傳統解經方法自它出現之日起就一直持續了二千五百多年，但是，近百年來，卻受到了一種新興歷史學方法的挑戰，這種方法試圖把古漢語文獻恢復到其撰寫的直接歷史背景中，並依此背景來解釋其語言。

　　顧頡剛（1893-1980）〈周易卦爻辭中的故事〉大概是利用這種新史學方法的第一部引人注目的作品。該文首版於一九二九年，其後，作為專講《周易》的《古史辨》那卷中的首篇文章重印。[2] 在文中，顧

1　《周易》由古代中國的占卜傳統中發展而出，特別與周人以蓍草所作的占筮有關。由運用蓍草所得出的數字結果，可以以連續或斷裂的一爻表示，而六爻的組合就形成了六十四個不同的圖形或「卦」。到了大約西周（公元前1045-771）末年，文字開始與這些「卦」和「爻」聯繫在一起。今天我們已經不容易知道究竟這些卦爻辭（通常是關於人類或自然世界的簡練表述）是如何用來預測未來。到了公元前三世紀末期，有許多個注釋（通常數作十個，於是就叫作《十翼》）與這些原來的文字聯繫在一起。這些傳統上被認為是孔子（公元前551-479）所作的注釋將原來的占筮改變成為一部充滿哲理的著作，而這個地位在公元前一三五年，當《周易》被放在所有經典的首位，也得到了正式的承認。
　　為了區分《周易》的這兩個層次與作用，我用《周易》來稱呼卦爻辭，尤其是原來（西周）歷史背景下所理解的卦爻辭。另一方面，我用《易經》來稱呼包含注釋（所謂《十翼》）的文本，特別是此文本被認為是經典的那些情況。
2　顧頡剛：〈周易卦爻辭中的故事〉，《燕京學報》第6期（1929），頁967-1006；重

先生否定了《周易》為聖哲之作的說法，通過對《周易》爻辭中五段歷史插曲的考察，顧氏指出，經文是經過很長時間，對許多單個占卜紀錄的集合、編輯而成的。這幾個插曲時跨商代以前，直至西周早期。簡言之，這五段插曲是殷之先王王亥丟失一群牛（〈大壯〉六五、〈履〉上九[3]）；高宗（即商王武丁的廟號，屢見於其統治時期的甲骨刻辭中）征服了一個稱為鬼方的異邦（〈既濟〉九三、〈未濟〉九四）；商倒數第二個王帝乙把其女嫁給周人首領文王（〈泰〉六五、〈歸妹〉六五）；商貴族箕子為逃避商最後一個王帝辛的暴政而詐瘋（〈明夷〉六五）；周的建立者周武王的弟弟康叔接受賜爵獎賞（〈晉〉卦辭）。

　　顧氏的這篇文章對「新」易學影響巨大，無論是選擇單段插曲的方法，抑或其基本結論，啟發了過去半個世紀關於《周易》的許多學術研究。[4] 由於我過去關於《周易》的研究主要採用這一方法[5]，因此，有必要回過頭來注意一下顧氏的文章。我將在本文中參照有關歷史背

印於顧頡剛編：《古史辨》（1931 年；上海：上海古籍出版社，1982 年重印），冊 3，頁 1-44。

3　本文引述《周易》之卦，都會標示出卦名、其於通行六十四卦中的順序，有時候也指出某個爻辭從初至上爻的位置。

4　請參考比如高亨：《周易古經今注》（上海：開明書店，1947 年）；李鏡池：《周易探源》（北京：中華書局，1978 年）；李鏡池：《周易通釋》（北京：中華書局，1981 年）；Gerhard Schmitt, *Sprüche der Wandlungen auf ihrem geistesgeschichlichen Hintergrund*, Deutsche Akademie der Wissenschaften zu Berlin, Institut für Orientforschung Veröffentlichung, Nr. 76 (Berlin: Akademie-Verlag, 1970)；Hellmut Wilhelm, *Heaven, Earth, and Man in the Book of Changes* (Seattle: University of Washington Press, 1977), 56-62；Richard Alan Kunst, "The Original 'Yijing': A Text, Phonetic Transcription, Translation, and Indexes, with Sample Glosses" (Ph.D. dissertation, University of California, Berkeley, 1985)。

5　Edward L. Shaughnessy, "The Composition of the *Zhouyi*" (Ph.D. dissertation, Stanford University, 1983).

景，對關於帝乙之女與周文王的婚姻一段插曲進行考察，像顧氏那樣，我也企圖從中得出關於《周易》更普遍性的結論。我相信，這些結論將顯示出「新」易學解釋法之利弊。

帝乙歸妹故事最重要的文字是〈歸妹〉卦的第五爻：

> 帝乙歸妹，其君之袂不如其娣之袂良。

傳統注家都喜歡賦予《周易》普世的道德規範，該爻的注釋亦不例外。大多數注家認為卦的正文（即卦辭和爻辭）與卦象（〈歸妹〉☱）是一個單一的整體。對於〈歸妹〉卦的這一爻，北宋思想家程頤（1033-1108）可以作為此傳統的代表。程氏指出，〈歸妹〉第五爻是個陰爻，代表一女性，即爻辭中之「妹」，而且其爻位為一卦之尊位的第五位，表明該女處於如王之女這樣的尊貴的地位。但是，程氏繼續講到，該爻辭的意象是企圖闡述適於婦女的某種道德規範，恰如「其君之袂不如其娣之袂良」，因此，即使王的女兒也不該持傲慢態度或不順從。[6]

我們且不談這一論點的普世性問題。誠如上述，至少顧頡剛及其後來的追隨者認為，把《周易》意象同特定的歷史線索聯繫起來，更有助於對《周易》的理解。就〈歸妹〉卦的這一爻而言，他們看到的歷史線索跟商帝乙女嫁周文王有關。受顧氏對該爻予以歷史的解釋影響的學者中，其代表者大約是Hellmut Wilhelm（1905-1990），他在這樣的歷史背景下解釋了嫁女的服飾：

> 我們從其他來源知道，商周的文化差別極大（原注：根據某個傳統，文王生於豬圈；Eduard Erkes, "Das Schwein im alten

---

6　程頤：《周易程氏傳》（1099年序言；收入嚴靈峰編：《無求備齋易經集成》，臺北：成文出版社，1975年重印），冊15，頁265。

China," *Monumenta Serica* 7 (1942), 76。）身著周服飾的商公
主，在身著華麗商朝服飾的侍女面前，一定顯得黯然失色。[7]

我們這裡不談商周相對的文化發展這個問題。我想考慮的問題是《周
易》經文中意象的運用，我認為 Wilhelm 的說法至少過於拘泥於字
面，對於爻辭來源，他否認作者有任何關於意象的象徵性聯繫的意
識。儘管 Wilhelm 逐字解釋了該爻，他卻未考慮顧氏曾提及商公主與
文王婚配之歷史背景的全貌（補充一句，據我所知，每個「新」易學
的信徒都沒有做出如此的考慮）。當然，顧氏的確把該爻與帝乙之女
和文王婚配聯繫在一起；他進一步發現，這一婚姻在《詩經・大明》
中亦有描述：

> 大邦有子，俔天之妹。
> 文定厥祥，親迎于渭。
> 造舟為梁，不顯其光。

該節第一行的「大邦」普遍被釋為是周朝建立之前周人對商朝的婉轉
稱法；這一解釋為顧氏所接受，他也接受了該節的其餘部分是描寫文
王與商之「子」的婚配的傳統解釋。然而，他並沒有就此打住，相反
地又進一步討論了〈大明〉的下一節：

> 有命自天，命此文王。
> 于周于京，纘女維莘。
> 長子維行，篤生武王。

顧氏注意到，此處文王之子武王的母親，被費解地描寫為來自「莘」
國的「纘女」。「莘」傳統上認為是前夏王朝後裔統治的小國。對該

7　Wilhelm, *Heaven, Earth, and Man in the Book of Changes*, 62.

詩，大多數注釋都認為，武王之母（即太姒）之所以如此稱為「纘女」，是因為她承繼了太妊（即文王之母，在該詩前一節被提及）的尊位。然而，如顧氏所言，這就產生了這樣一個問題，為什麼以指商人的稱呼「大邦之子」來稱呼來自一個相對次要且非商的「莘」國婦女？由此顧氏假設這「大邦之子」，即帝乙之女，因為她不能為周室傳宗接代，所以這位來自「莘」的「纘女」就取而代之了。這就解決了「其君之袂不如其娣之袂良」的象徵意義，這一意象看上去就是暗示了媵妾比嫡妻更受寵愛。

　　也許由於顧氏主張《周易》經文是經過很長時間，由或多或少是無關的占卜紀錄編輯而成的緣故，他對這段插曲的討論始終集中於這一爻上，並說自己的解釋無非是個「猜想」而已。[8] 我認為假如他對〈歸妹〉卦其他幾段爻辭也考慮進去，他會發現更多有關帝乙之女婚變的原因，全文如下：[9]

　　☱☳ 歸妹：征：凶；無攸利。

　　　　初九：歸妹以娣：跛能履；征：吉。

　　　　九二：眇能視；利幽人之貞。

　　　　六三：歸妹以須：反歸以娣。

　　　　九四：歸妹愆期：遲歸有時。

　　　　六五：帝乙歸妹：其君之袂不如其娣之袂良；月幾望：吉。

　　　　上六：女承筐：无實；士刲羊：无血，無攸利。

舉例而言，此卦的九四爻，即我們已重點涉及之爻的前一爻，由一對押韻的句子組成：

8　顧頡剛：〈周易卦爻辭中的故事〉，頁14。

9　關於此處文字的詳細討論，請參考Shaughnessy, "The Composition of the *Zhouyi*," 239。

　　　　歸妹怨期，遲歸有時。[10]

進一步發揮顧氏的意見，認為這一爻也暗示此婚姻的不幸，或許並非
過分印象化的判斷。一個更引人深思的有關婚姻失敗的意象可以在上
六的爻辭裡找到，就在那個提到嫡妻衣袖的爻辭後面。該爻爻辭也是
兩句押韻，此處卻是五字句，包含了《周易》中僅有的、明確的、有
意的句內押韻的例子：

　　　　女承筐无實；士刲羊无血。

如果一個無果實的筐不夠明顯地象徵一個不生育的女人，那麼可以指
出，「承筐」一詞在不遲於西漢早期，就是對女人陰道的一個普遍的
委婉說法。這個詞在下列發現於馬王堆的描寫性交的詩中出現：

　　　　凡將合陰陽之方：握手，吐掊陽。掊肘房。抵腋旁。上灶網。
　　　　抵領鄉。掊承筐。[11]

筆者不知道在西周時代「承筐」是否已經有陰道的這個意思，或是
（像我猜想的那樣）它源於《周易》此爻而被象徵化了。它與該句的
後半部分「士刲羊」形成平行的關係，而我覺得後者的性的象徵手法
也非常明顯，似乎支持我對「承筐」的理解。應該沒有疑問可以認
為，嫡妻的筐裡沒有果實暗示她不能生育後代。

　　儘管本文的主要見解是從顧頡剛先生的研究中得出的，但是，
〈歸妹〉卦裡三段爻辭主題的一致性，即都是圍繞帝乙之女與文王婚
姻的某個問題，這種主題的一致性是不利於顧氏的看法的。顧氏認為

---

10 該句的兩個「歸」字的用法看上去是有意區別：第一個指婚嫁，第二個指回家。

11 Donald Harper, "The Sexual Arts of Ancient China as Described in a Manuscript of the Second Century B.C.," *Harvard Journal of Asiatic Studies* 47.2 (1987): 204。

《周易》爻辭是由單個占卜紀錄所組成的，因此沒有一個共同的作者的觀點。事實上，我認為在同一卦中還能找到其他一致性的證據。例如初九的「跛能履」與九二的「眇能視」，看上去是嫡妻與媵妾兩個相反角色的暗示。（我將在本文的結論中回到角色相反的問題。）不僅如此，在《周易》其他卦爻辭中，還能找到更多有利的證據，說明在帝乙之女的婚姻這件事上，有一個一致的作者觀點存在。

　　研究《周易》的傳統與現代學者都注意到，六十四卦按三十二對排列，每對或卦象顛倒，亦即初爻變上爻，第二爻變第五爻等等；比如〈屯〉☷（3）與〈蒙〉☶（4）相配，或者在這樣的改變會出現同一個卦象的八個例子中，每爻變成其相反的爻（例如，〈乾〉☰（1）〈坤〉☷（2）相配）。在很多例子中，成對兩卦的語言與意象都是一致的。例如，就在顧頡剛先生研究的五段歷史插曲中，我們能夠注意到，有兩爻是有關高宗征鬼方的，而這兩爻出現在互補的〈既濟〉☷（63）與〈未濟〉☶（64）卦中：

　　　〈既濟〉九三：高宗伐鬼方，三年克之。
　　　〈未濟〉九四：震用伐鬼方，三年有賞于大國。

此外，當我們考慮到〈既濟〉與〈未濟〉基於同一卦象，即後者僅是前者的反轉，就會發現〈既濟〉之第三爻無非就是〈未濟〉之第四爻。

　　諸如此類的例子在《周易》中俯拾皆是。有時這些卦與卦之間的聯繫從形式就可以看出，比如以下的意象就同時出現在〈損〉卦☶（41）六五爻與〈益〉卦☴（42）六二爻中：

　　　或益之十朋之龜，弗克違。

有時兩卦的爻辭通過某個單詞的重複而聯繫起來，儘管是用於不同

意義，例如「缶」字在〈坎〉卦䷜（29）六四爻與〈離〉卦䷝（30）
九三爻中分別用作「瓦器」或「鼓」。

〈坎〉六四：樽酒簋貳，用缶。

〈離〉九三：日昃之離，不鼓缶而歌，則大耋之嗟。

另外，兩卦可能僅有同一大致的意象，例如，〈乾〉卦（1）整卦出
現的龍，在〈坤〉卦（2）的上爻又再現。

〈乾〉初九：潛龍。

　　　九二：見龍在田。

　　　九四：或躍在淵。

　　　九五：飛龍在天。

　　　上九：亢龍。

　　　用九：見群龍無首。

〈坤〉上六：龍戰於野，其血玄黃。

我在別處曾證明此處之龍是一種天文現象；[12] 其在〈乾〉卦的運行與
蒼龍座從仲冬到仲秋在蒼天的運行相對應。在與秋收有關的〈坤〉卦
中，龍之再現似表明初冬它與鱉星座在天際的相聚。這個相聚被認為
與戰爭或性交有關。

　　與〈歸妹〉卦䷵（54）配對的是〈漸〉卦䷴（53），其經文如
下：

䷴漸：女歸：吉；利貞。

初六：鴻漸于干：小子厲；有言；無咎。

---

12 Shaughnessy, "The Composition of the *Zhouyi*," 266-287；夏含夷：〈周易乾卦六龍新
　解〉，《文史》第24輯（北京：中華書局，1985年），頁9-14。

六二：鴻漸于磐：飲食衎衎；吉。

九三：鴻漸于陸：夫征不復，婦孕不育，凶。利禦寇。

六四：鴻漸于木：或得其桷；无咎。

九五：鴻漸于陵：婦三歲不孕；終莫之勝，吉。[13]

上九：鴻漸于阿[14]：其羽可用於儀；吉。

在文中唯一明顯與〈歸妹〉卦一致的措辭是卦辭所謂「女歸」。於此，「歸」字可有兩義：一個意思是嫁人，另外一個意思歸家。如同上文所指出的，這樣的模稜兩可在〈歸妹〉九四爻辭中似乎是有意的。但是我認為由於顧頡剛關於帝乙之妹與文王失婚的灼見，還可以在概念上在兩卦之間做更多的聯繫。比如，〈漸〉九三：「夫征不復，婦孕不育」和九五「婦三歲不孕，終莫之勝」與〈歸妹〉上六「女承筐无實，士刲羊无血」都有顯而易見的意義上的關係。

　　一旦認識了〈漸〉卦爻辭的結構，我們就有可能發現〈漸〉和〈歸妹〉兩卦間在形式上的聯繫。〈漸〉卦每段爻辭以一個四字句打頭，其中包含了鴻雁向越來越高的地勢漸進；這種有組織的結構在其他一些卦中也很明顯，例如〈咸〉（31）、〈鼎〉（50）以及〈艮〉（52）。對鴻雁漸進的重複描述，類似於《詩經》中的所謂「重疊複遝」（incremental repetition）的現象，後面緊跟著關於人事的描述，並通過押韻互相聯繫。誠如許多現代學者指出，這一點類似於《詩經》中通過運用自然現象對相應的人事的「興」。的確，鴻雁本身在《詩經》的「興」中屢見不鮮。不過在《詩經》裡，它一致地被用來

---

13 「終莫之勝」與「婦三歲不孕」是否構成押韻的對句，是一個可以提出的問題。或者前者其實是占筮所用的術語，與此爻的意象無關。「勝」與「鴻漸於陵」的「陵」押韻，或許是第一個說法的有利證據。

14 此處根據李鏡池：《周易探源》，頁126；及他所引用的清代學者，將傳世本之「陸」修正為「阿」。

起興離婚的主題，而不是後來關於婚姻結合的象徵。例如〈鴻鴈〉第
一章是這樣講的：

> 鴻鴈于飛，肅肅其羽。
> 之子于征，劬勞于野。
> 爰及矜人，哀此鰥寡。

鴻雁被描寫為婚姻疏遠的暗示（也許因為在冬天拂曉，遠征的隊伍出
發時，可以看到牠整齊飛行）。這種描寫並非僅存於此詩中。在諸多
例子中，很明顯的一例是〈九罭〉，把鴻雁和魚，兩個不同的自然象
徵並置。聞一多曾令人信服地指出，魚是一個性的象徵，通常代表男
性的性器）。[15]〈九罭〉以一位年輕女子與其情人浪漫糾葛中的初會開
始，但在第二章中，當鴻雁出現時，措辭幾類於〈漸〉卦爻辭，二人
戀愛關係出現了問題：

> 九罭之魚，鱒魴。
> 我覯之子，袞衣繡裳。
> 鴻飛遵渚。公歸无所，於女信處。
> 鴻飛遵陸。公歸不復，於女信宿。

再看一下〈新臺〉的末節，此詩過去被認為是對衛宣公（公元前718-
700年在位）與兒媳私通的隱諷：

> 魚網之設，鴻則離之。
> 燕婉之求，得此戚施。

在上引所有三段詩中，鴻雁都象徵了離婚或男女不和的主題。我認

---

15 聞一多：《聞一多全集》（1948年；北京：三聯書店，1982年重印），頁117-138。

為，〈漸〉卦爻辭中鴻雁的意象（與《詩經》幾乎是處同一時代）應包括這種同樣起興的意義。這樣，〈漸〉九三爻中「鴻漸於陸」的意象就是對「夫征不復，婦孕不育」這一人事的起興，或者九五爻中「鴻漸於陵」就是對「婦三歲不孕，終莫之勝」的起興。

我想進一步指出，這樣的起興不僅主導著〈漸〉卦的各個爻辭，而且以鴻雁為主要意象的整個〈漸〉卦也作為其相配之〈歸妹〉卦的「興」。就如同〈漸〉卦九三爻「鴻漸於陸」的引導意象毫無疑義就是對人事領域中「夫征不歸，婦孕不育」的起興，〈漸〉卦鴻雁的一般意象也引導出〈歸妹〉卦中關於人事的描述，即帝乙之女的婚姻失敗（大概因為其不育）。

假如這一看法還有某種價值，那麼《周易》所反映的就絕非單個占辭的隨意組合。儘管我不想進一步說這是一部聖哲之作，但在其中相當大的創造性意識是明顯的。假如讀者對《周易》之興趣是純美學的，那麼注意到某個意象在卦爻辭中的作用的一致性就足夠了。但自古以來，讀者們對《周易》的理解卻遠非如此，它不僅是評論人事的書，而且還為人事提供了見識。無論《周易》事實上是否是普世智慧的文存，但是《周易》作者企圖從這些意象的聯繫中得出某些暗示則是可能證明的。

不難想像，周王與當時執政的、卻被周在五十年內征服的商之王的女兒的婚變，可以作為兩國政治關係的不祥之兆。令人驚奇的是，也許這些政治性的暗示在〈漸〉和〈歸妹〉兩卦中並未被注意到，但是，在《周易》其他地方卻十分明顯，〈泰〉卦（11）的六五爻就涉及到帝乙之女的婚配：

〈泰〉六五：帝乙歸妹以祉；元吉。

儘管〈泰〉卦其他爻辭沒有別的敘述與這個婚姻有關[16]，但不難看出其與〈歸妹〉卦的頭兩爻出現的顛倒現象——「跛能履」、「眇能視」——的更抽象主題的聯繫。的確，顛倒現象與卦名看上去意味著「幸福」[17]的〈泰〉卦如此有機的結為一體，以至於我們可以認為〈泰〉卦與其相配之卦〈否〉卦在概念上組成一對。由於這兩卦如上述在形式上、字面上、概念性上都互相聯繫，我們可以把它們作為整體來考察。

　　䷊泰：小往，大來；吉；亨。

　　初九：拔茅茹以其彙；征：吉。

　　九二：包荒用馮河：不遐遺朋；亡得尚於中行。

　　九三：无平不陂，无往不復：艱貞：无咎。勿恤其孚；于食有福。

　　六四：翩翩：不富以其鄰：不戒以孚。

　　六五：帝乙歸妹以祉：元吉。

　　上六：城復于隍：勿用師；自邑告命；貞：吝

　　䷋否：否之匪人，不利君子貞；大往，小來。

　　初六：拔茅茹以其彙；貞：吉；亨。

　　六二：包承：小人吉，大人否亨。

　　六三：包羞。

---

16 也許〈泰〉卦初九爻「茅茹」的意象表示某種浪漫關係的中斷，就像《詩經・東門之墠》和〈出其東門〉裡那樣。在下面我將說明，〈泰〉卦也是同其相配之卦〈否〉卦緊密聯繫的。所以，〈否〉卦九五爻的「苞桑」的意象可能也是有關的。《詩經》中「苞桑」象徵離婚的作用，見於〈氓〉。

17 我說「看上去」，因為儘管自《易經》注釋傳統之始，「泰」就固定地理解為幸福之意，但在西周時期沒有任何語源證據充分說明這一意義。

九四：有命：无咎；疇離祉。

九五：休否：大人：吉；其亡其亡；繫于苞桑。

上九：傾否：先否，後喜。

這兩卦至少有三處或四處在形式上的類似：第一，卦辭「小往大來」和「大往小來」顯然是互相相反（它們的措辭無疑也很重要）。第二，第一爻「拔茅茹以其彙」在兩卦中都出現。第三，〈否〉卦六二和六三爻辭的「包承」、「包羞」與〈泰〉卦九二爻辭的「包荒」結構相同。最後，〈泰〉卦上六「自邑告命」與〈否〉卦九四爻「有命」中「命」的重複也可能很重要。

從更概括意義上講，這兩卦共有同一個主題也是很明顯的。無論「泰」字或「否」字原意如何，由於它們在《周易》中的運用，兩詞可理解為幸福與不幸、好與壞這樣一對對應詞，而反轉的不可避免也是這兩卦的中心主題。這一點最明顯地表現為卦辭的相反，而它們本身也反映了反轉的意思（「小往大來」）。爻辭也同樣反映這個主題。所以〈泰〉九三之「無平不陂；無往不復」，呼應的是〈否〉上九之「先否後喜」。我懷疑兩卦中的一些較具體的意象也反映了這個主題，比如〈泰〉上六之「城復於隍」，相對於〈否〉九五之「休否」。

我相信，這種關於這兩卦關係的解釋同傳統《易經》注釋是一致的。同時我懷疑，雖然顧頡剛與他的跟隨者認為經文僅是隨意編輯的，他們也難否認〈泰〉、〈否〉兩卦卦爻辭之間正式的或概念的一致性，但是，顧氏的研究關於〈歸妹〉卦的解釋已證明太重要了，而不能隨意擯棄。我想把顧氏與傳統的這兩種注釋立場結合起來，說明經文的特定的歷史背景，從而得出其哲學的意義。

假設「帝乙歸妹以祉」的意象是〈泰〉卦的主要意象，而由〈歸妹〉的解釋可以知道，這一婚姻是不成功的（至少對於帝乙之女來

說），那麼〈泰〉卦要與〈否〉卦相配的原因也就可以知道了。的確，假定〈泰〉卦六五爻與其結構互補的〈否〉卦六二爻有某種聯繫，就有可能探索該爻的專用術語——「小人吉，大人否」——指的是嫡妻（「大人」）的不育與媵妾（「小人」）由於生武王而最終「繼」之。這一成功的反轉可能被暗示於〈否〉卦的最後一爻，即「先否後喜」。

儘管這個特殊婚姻的失敗是這對卦的主要意象，但我想這一意象也可以暗示了商人與周人關係的破裂。由於周最終征服了商（在公元前1045），因此，見於〈歸妹〉卦中關於嫡妻與媵妾的對比及其所表現的更概括意義的反轉，自然也會與周取代商亦即「大邦」這件事聯繫起來。如果果真如此，那麼我認為，〈泰〉卦上六「城復於隍」，亦即緊接著提到關於帝乙之女一爻的下一爻，也能與周克商一事聯繫起來。這從其押韻對句「自邑告命」中可以清楚地看出。但到了文本撰寫之時，大約在西周滅亡（公元前771）之前，當時周的統治已岌岌可危，周的征服與天命一定被視作徵兆，或最少是值得做一番概括與抽象化的話題。

我希望對《周易》這四卦的簡明的分析已表明這樣的意思：雖然顧頡剛以插曲為基礎的文本詮釋很有啟發性，展示出一句一句的爻辭的原來的歷史面貌，但顧氏，尤其是他的跟隨者，卻把注意力完全集中於單個句子的字面意義上，而沒有理解意思背後的意思。的確，在我看來，傳統的解釋者如程頤等人，儘管他們常常是非歷史的、印象化的，卻已接近領悟到《周易》為什麼被「撰寫」出來。此處我有意地用了「撰寫」一詞。毫無疑問，《周易》不是神靈啟示之產物。但是，有了這四卦多種方面的聯繫[18]，無論從形式上還是從概念上看，

18 我多次被問及（最近一次是被本文的匿名審查人）這樣一個問題：《周易》中卦

也不可能是一個隨意的組合。將來的《周易》學者，應該把「新」易學的歷史主義研究方法同傳統《易》學的解釋中的聯想式推理結合起來，就可以重新占卜出人類的創造才能。

（李衡眉、郭明勤、周博群　譯）

與卦之間的關係究竟有多普遍？當然，我想從諸如〈臨〉䷒（19）和〈觀〉䷓（20）、〈損〉䷨（41）和〈益〉䷩（42）、〈既濟〉䷾（63）和〈未濟〉䷿（64）這樣一對一對的卦，從中很容易看出其形式的或概念的關係。誠如上述，我認為除了〈乾〉䷀（1）和〈坤〉䷁（2）是規定作為概念的一對，還有毫無疑問，比如〈革〉䷰（49）和〈鼎〉䷱（50）有概念的關係（「鼎」有穩定的引申義）。因此，簡明的答覆就是，這樣的對應佔了整個《周易》經文的四分之一。然而這個答覆並不令我滿意。我希望我可以說明六十四卦中，其他四分之三的卦之所以缺乏明顯的特徵，是因為它們不同的構成來源，或是因為我的淺陋而無法理解（我並不羞於承認這一點，因為仍有相當的部分是我不理解的）。關於《周易》文本的不同層次問題，我在 Shaughnessy, "The Composition of the *Zhouyi*," 326，註82。Richard Kunst, "The Original 'Yijing'," 33、52、123 等，都曾以不同方法探索過，但還需進一步研究。

2

武王克商的「新」證據

　　一九七六年從陝西岐山縣發掘出土的利簋銘文，通過證實若干中國傳統史學裡的關鍵記載，將學者們的注意力再次集中在武王克商及建立周朝之上。正是對發現新材料（通常以甲骨卜辭或青銅銘文的形態出現）的預期使得古代中國的研究如此生氣蓬勃，並向新的解釋展開了可能性，而新發現已經越來越成為現實。然而不幸的是，在發現新銘文的興奮中，有些學者拒絕或至少忽略了那些通過更加迂迴的歷史途徑而流傳至今的同期文獻。這並不僅僅來自現代所謂「科學的」歷史學者的偏見。至少就《逸周書‧世俘》這一篇文獻來說，它的關於周王克商的最完整的記載，早在二三〇〇年前就被中國最早的史學家之一孟子（公元前371-289）徹底否定了（這篇文本被孟子稱為〈武成〉，詳說請見下文第二部分）。孟子的思想由於其他原因愈來愈顯赫，而他對〈世俘〉的否定以及用以取代它的理想化歷史多少成了迄今為止的正統意見。但現代的歷史學者有責任去客觀地考慮手上的所有證據。我認為〈世俘〉的確值得再仔細思考探究。因此，我在此提供〈世俘〉的翻譯，並討論其內容的真實性，所依據的信仰是古代文獻不僅止於在華北的土壤中被發現。

第一部分　訂本與翻譯

〈世俘〉[1]	The Great Capture
維四月乙未日，武成辟四方，通殷命有國。	I It was the fourth month, *yiwei* (day 32); King Wu achieved rule over the four directions and went through the countries that Yin had commanded.[2]

---

[1]　文本的校訂及相關的註釋，皆以影印明嘉靖本《四部叢刊》（1543年刊行）所收錄的《逸周書》為主（〈世俘〉篇在該書卷40，頁4.9a-12a）。在下列註釋中所引用〈世俘〉的文字，皆是從原文中徵引。此外，也大量參考顧頡剛所作的校訂，見於〈《逸周書・世俘篇》校注寫定與評論〉，《文史》第2輯（北京：中華書局，1962年），頁1-42。該文不僅呈現出顧氏具有原創性的研究成果，也綜合了多種清代版本及研究成果。在本文最早的發表中（*Early China* 6〔1980-1981〕: 57-79），有許多冗長的註釋，對原文中許多有疑難問題的章節做了討論。在本文中，我將譯文作了些微的修飾，並重新編排了註釋中的討論，只在更動原處出注，並將有關語法的討論移至下文第二部分第二小節中，將有關地理位置的標示、歷史的討論移至第二部分第三小節、第三部分中。

[2]　這段具有綜述性質的文字似乎是後來才加在原文上的，有點類似〈書序〉。然而這段記錄在與本篇其他文字聯繫以後，看來應該是可信的。依據我將〈世俘〉文中所記錄事件的復原排序，乙未（第三十二天）是四月的第一天，正是武王與周人大軍從故殷領土回返周地的時間（可參見附表「大事日程」）。

維一月壬辰旁死霸，若翌日癸巳，王乃朝步自周，于征伐（商王）紂。越若來二月既死霸越五日甲子，朝至于商，則咸劉商王紂，執夫惡臣百人。	II It was the first month, *renchen* (day 29), the [day of] expanded dying brightness. On the next day, *guisi* (day 30)[3], the king then in the morning set out from Zhou and went on campaign to attack the Shang king Zhou. On *jiazi* (day 1), five days after [the day] after the dying brightness of the following second month, [they] arrived in the morning and defeated the Shang, thence entirely decapitating the Shang king Zhou and shackling [his] one hundred evil ministers.
太公望命禦方。來丁卯，望至告以馘俘。戊辰，王遂禦循，祀文王。時日，王立政。	III Grand Duke Wang was ordered to secure the area. On the coming day, *dingmao* (day 4), Wang arrived and reported about ears taken and captives. On *wuchen* (day 5), the king then performed a *yu*-exorcism and an inspection tour, and [then] made a commemorative sacrifice to King Wen.[4] [On] this day the king established [his] government.

---

3 原文作「維一月丙辰旁生魄若翼日丁巳」，今依據《漢書·律曆志》（卷21B，頁1015-1016）所載劉歆《世經》（又轉引自《尚書·武成》）的文字校訂。此處所記載的完整日期（亦即有月、月相及干支），可聯繫於〈世俘〉及《漢書》原文中所記載的其他兩組完整且完全相同的日期（參見原文第二段及第九段）。據此可以判斷這個記載於〈武成〉中的日期是正確無誤的。關於這些日期詳盡的討論，可參見頁53-56。

4 依據孔晁（約265年）的註解，本文將「自祀」校訂為「追祀」。關於本段其他評論，請見下文頁46-51。

呂他命伐越戲方。壬申，荒新至告以馘俘，侯來命伐靡集于陳。辛巳，至告以馘俘。甲申百弇命以虎賁誓命伐衛。告以馘首。	IV Lü Ta was ordered to attack Yue and Xifang. On *renshen*（day 9）, Huang Xin arrived and reported about ears taken and captives. Hou Lai was ordered to attack Miji and/at Chen. On *xinsi*（day 18）,〔he〕arrived and reported about ears taken and captives. On *jiashen*（day 21）, Bai Ta was ordered to address the Tiger Vanguard, being ordered to attack Wei. He reported about ears taken and captives.
辛亥薦俘殷王鼎。武王乃翼矢琰矢憲，告天宗上帝。王不革服，格于廟，秉黃鉞，語治庶國。籥人九終。王烈祖自太王、太伯、王季、虞公、文王、邑考以列升，維告殷罪。籥人造。王秉黃鉞，正國伯。	V On *xinhai*（day 48）, presentation of the captured caldrons of the Yin king. King Wu then reverently displayed the jade tablet and the codice, making an announcement to the heavenly ancestor Lord on High. Without changing his robes,[5] the King entered into the temple. Holding the yellow axe,[6] he spoke and regulated the many states. The flutists〔played〕nine refrains. The king's honored ancestors from Taiwang, Taibo, Wangji, Yugong, and King Wen to Yi Kao were arrayed and elevated, in order to report the crimes of Yin. The flutists entered. The king, holding the yellow axe, confirmed the elders of the countries.
壬子，王服衮衣，矢琰，格廟。籥人造。王秉黃鉞，正邦君。	On *renzi*（day 49）, the king, wearing the royal attire and displaying the jade tablet, entered the temple. The flutists entered. The king, holding the yellow axe, confirmed the rulers of the states.

5　依據孔晁注解「不改祭天之服」，本文將「格」校訂為「革」。

6　依從朱右曾《逸周書集訓校釋》以及顧頡剛所比對的下文文例，增加「黃鉞」二字；參見顧頡剛：〈《逸周書·世俘篇》校注寫定與評論〉，頁9，註6。

癸丑，薦俘殷王士百人。箎人造。王矢琰，秉黃鉞，執戈。王入。奏庸：「大享」一終。王拜手稽首，王定。奏庸：「大享」三終。	On *guichou*（day 50），[7] presentation of the 100 captured nobles of the Yin king. The flutists entered. The king was displaying the jade tablet, holding the yellow axe, and grasping a dagger-axe. The king entered; the bell was struck:[8] the "Great Sacrifice," one refrain. The king folded his hands and touched his head to the floor. The king〔lit. settled =〕sat; the bell was struck: the "Great Sacrifice," three refrains.[9]
甲寅，謁戎殷于牧野。王佩赤白旂。箎人奏「武」。王入進萬獻：「明明」三終。	On *jiayin*（day 51），inspection of the military Yin at Muye.[10] The king suspended red and white pendants（from his sash）. The flutists played "Wu."[11] The king entered and caused the "Ten-Thousand"（Wan）dance to be advanced, presenting "Brightly, Brightly," three refrains.
乙卯，箎人奏「崇禹生啓」三終。王定。	On *yimao*（day 52），the flutists played "Venerable Yu〔i.e., Yu the Great〕begat〔Kai =〕Qi," three refrains.[12] The king sat.

7　原文作「癸酉」（第十天），但從干支序列可以明顯得知，此應是「癸丑」之誤。

8　依從顧頡剛之見，在「王」字之後加「入」字，在下文中可以找到相似的文例；參見氏著：〈《逸周書・世俘篇》校注寫定與評論〉，頁11，註20。

9　依從盧文弨《逸周書》與顧頡剛之見，皆將「庸」（亦即「鏞」）讀作「其」；參見顧頡剛：〈《逸周書・世俘篇》校注寫定與評論〉，頁11，註23。

10　依從盧文弨之見，將「戎」讀作「我」。

11　《左傳》（宣公十二年，參見《春秋左傳正義》〔十三經注疏本〕，卷23，頁180；冊2，頁1882）記載曰：「武王克商……作〈武〉。」「武」被一致認為是《詩經》周頌中的一篇。關於此詩的討論，請參見本書頁149。

12　此處刪去「鍾」字。在漢景帝（即劉啓，在位於公元前156-141年）時期，「啓」為避諱之字，故當時此句中的「啓」字改為「開」字。啓亦是大禹之子，為夏代開國始祖。

庚子，陳本命伐磨；百韋命伐宣方，荒新命伐蜀。	VI On *gengzi* (day 37), Chen Ben was ordered to attack Mo; Bai Wei[13] was ordered to attack Xuanfang; and Huang Xin[14] was ordered to attack Shu.[15]
乙巳，陳本、荒新，蜀、磨至；告禽霍侯，俘艾侯、佚侯，小臣四十有六，禽禦八百有三十兩，告以馘俘。百韋至，告以禽宣方，禽禦三十兩，告以馘俘。百韋命伐厲，告以馘俘。	On *yisi* (day 42), Chen Ben and Huang Xin arrived (from) Shu and Mo[16] and reported the netting of the Lord of Huo, the capture of the Lord of Ai, the Lord of Yi and 46 minor ministers, and the netting of 803 chariots,[17] reporting about ears taken and captives. Bai Wei arrived and reported about the netting of Xuanfang and the netting of 30 chariots, reporting about ears taken and captives. Bai Wei was ordered to attack Li: he reported about ears taken and captives.

13 「百韋」或許即是上文第四段中的「百弇」，「韋」字顯然是與「弇」字字形相近而訛誤。關於此人的可能身分，可參見下文註50。

14 原文在此作「新荒」，我依據原文第四段而將兩字顛倒「荒新」。當然，「新荒」也可能是正確的，如此則彼處應修改為「新荒」。

15 這裡我保留原文的次序。顧頡剛則依據以往注釋者的意見，將原文重新排序，認為此戰役發生的地點與原文第四段的記載相同，參見氏著：〈《逸周書·世俘篇》校注寫定與評論〉，頁14，註13。然而，此處所提及的方國皆在西方，位於周都周邊地區；且依據干支日期推斷，此戰役的時間當在四月份，只是周都舉行勝利慶典的數日之前。

16 原文在此作「陳本命新荒蜀磨至」，誤。今依據顧頡剛：〈《逸周書·世俘篇》校注寫定與評論〉，頁13，註7校訂。

17 原文數字原作「八百有三百」，明顯有誤。「禦」字在此用修飾語「兩」字敘述，被釋為「革車」，這是一種特殊的用法。「禦」字在較晚期的用法中，通常解釋為「御者」，在此或許是指「兩位御者」；特別是在此段文字中，上下文都敘述所擒獲的俘虜。然而，「兩」從來沒有指定人類。因此，於此仍然從過去學者將「禦」譯為「革車」。

武王狩：禽虎二十有二、貓二、麋五千二百三十五、犀十有二、氂七百二十有一、熊百五十有一、罷百一十有八、豕三百五十有二、貂十有八、麈十有六、麝三十、鹿三千五百有八。	VII King Wu hunted and netted 22 tigers, 2 panthers, 5,235 stags, 12 rhinoceri, 721 yaks, 151 bears, 118 yellow-bears, 353 boars, 18 badgers, 16 king-stags, 50 musk-deer, 30 tailed-deer, and 3,508 deer.
武王遂征四方：凡憝國九十有九國、馘磨億有七萬七千七百七十有九、俘人三億萬有二百三十。凡服國六百五十有二。	VIII King Wu had pursued and campaigned in the four directions. In all, there were 99 recalcitrant countries, 177,779 ears taken registered,[18] and 310,230 captured men. In all, there were 652 countries that willingly submitted.
維四月既旁生霸越六日庚戌，武王朝至燎于周廟。維予沖子綏文考。	IX It was the fourth month, six days after [the day] after the expanded growing brightness, *gengxu* (day 47), King Wu arrived in the morning and performed a burnt-offering sacrifice in the Zhou temple, [stating] "It is I, the young son, who brings peace to the glorious ancestors."[19]

---

[18] 原文數字作「億有十萬」，「億」在古代為「十萬」之意，因此明顯有誤。這裡的「十萬」應是「七萬」之誤，古代「七」字作「十」，容易與「十」字混淆。

[19] 依據下文文例，在「文」字之後增加「考」字。

武王降自車，乃俾史佚繇書于天號。武王乃發于紂夫惡臣百人，伐右厥六十小子、鼎大師，伐厥四十夫家君、鼎師。司徒、司馬初厥于郊號乃夾于南門；用俘皆施佩衣衣。先馘入。武王在祀。大師負商王紂縣首白旂，妻二首赤旗，乃以先馘入燎于周廟。	King Wu descended from [his] chariot and caused Scribe Yi to intone the document in the declaration to heaven. King Wu then shot the hundred evil ministers of (Shang king) Zhou.[20] He beheaded and offered their sixty minor princes and great captains of the caldrons, and beheaded their forty family heads and captains of the caldrons.[21] The supervisor of the infantry and the supervisor of the horse first [attended] to their declaration of the suburban sacrifice; then the southern gate was flanked with the captives to be sacrificed,[22] all of whom were given sashes and clothes to wear. The ears taken were first brought in. King Wu attended to the sacrifice and the Great Master shouldered the white banner from which the head of Shang king Zhou was suspended and the red pennant with the heads of his two consorts. Then, with the first scalps, he entered and performed the burnt-offering sacrifice in the Zhou temple.
若翌日辛亥，祀于位，用籥于天位。	On the next day, *xinhai* (day 48), he performed a sacrifice in his position (as king), therewith making a *yue*-offering to heaven.

---

20 我將「廢」字校訂為「發」，是受裘錫圭：〈釋勿發〉（《中國語文研究》，1981 年第 2 期，頁 43-44）一文的啟發。此外，又依據第二段中的文例，將「矢」字修訂為「夫」字。第一則修訂與下文註 21 皆是本文首次發表時沒有注意到的。

21 依從裘錫圭（〈釋勿發〉，頁 45）之見，「甲」應是「六十」合文之誤；「六十」合文篆文字形寫作「甶」。

22 依從顧頡剛之見，刪去「武王」二字，參見氏著：〈《逸周書·世俘篇》校注寫定與評論〉，頁 19，註 9。

越五日乙卯，武王乃以庶國馘祀于周廟：「翼予沖子斷牛六，斷羊二，度國乃竟。」告于周廟曰：「古朕聞文考脩商人典；以斬紂身告于天于稷。」用小牲羊、犬、豕于百神、水、土；誓于社曰：「惟予沖子綏文考至于沖子。」用牛于天于稷五百又四，用小牲羊、豕于百神、水、土二千七百有一。

Five days later on *yimao* (day 52), King Wu then sacrificed in the Zhou temple the ears taken of the many countries,[23] declaring, "Reverently, I, the young son, slaughter six oxen and slaughter two sheep. The many states are now at an end." [He] reported in the Zhou temple, saying, "Of old I have heard that [my] glorious ancestors emulated the standards of the men of the Shang; with the dismembered body of [Shang king] Zhou, I report to heaven and to Ji [i.e., Hou Ji]." He [lit. used =] sacrificed the minor offerings —— sheep, dogs, and boar —— to the hundred spirits, the water and the earth,[24] declaring to the altar of the earth, saying, "It is I, the young son, who brings peace to the glorious ancestors; may it reach to the young son." He sacrificed 504 oxen to heaven and to Ji, and sacrificed 2,701 sheep and boar, the minor offering, to the hundred spirits, the water and the earth.

---

23 原文作「武王乃以庶祀馘于國周朝」，今依據《漢書》（卷21B，頁1015-1016）所引〈武成〉文字修訂。

24 讀原文中不規律出現之「於」為「于」。

| 商王紂于商郊，時甲子夕。商王紂取「天智」玉琰，凡厥有庶玉，四千告焚。五日武王乃俾千人求之，四千庶玉則銷，「天智」玉琰火在中不銷，凡「天智」玉，武王則寶與同，凡武俘商舊玉憶有八萬。 | X The Shang king Zhou was in the suburb of Shang on that *jiazi* (day 1) evening. Shang king Zhou took the Heavenly Wisdom jade and jewels and wrapping them thickly around his body, immolated himself. In all, 4,000 (pieces of) jade were reported to have been fired. On the fifth day, King Wu then caused 1,000 men to seek them. The 4,000 pieces of jade[25] were burnt [but] the Heavenly Wisdom jade and jewels[26] were unburnt in the fire. King Wu then treasured and shared all of the Heavenly Wisdom jade [pieces]. In all, King Wu captured 180,000 pieces of old Shang jade. |

第二部分　原文的真實性

　　假如一篇像〈世俘〉這樣的文獻被證明是西周初年的產物，當然意義重大。在試著判斷一篇傳世文獻的真實性時，需要注意三個因素：該文獻的流傳歷史，語言的使用情況，以及其內容是否與相應的歷史狀況一致。在下文中將依序討論這三項因素，我相信它們全都確鑿無疑地證明了〈世俘〉確實與其所描述的事件是同時代的。

（一）　原文的流傳歷史

　　文獻中三處完整的日期記載（亦即月份、月相及干支，見於原本

25　依從盧文弨之見，在「庶」字之後加「玉」字；盧氏的修訂則依據《太平御覽》所引〈世俘〉之文；參見顧頡剛：〈《逸周書‧世俘篇》校注寫定與評論〉，頁22，註6。

26　依據上文文例，我將「琰」字讀作「五」。

中的第二及第九段）儘管為後世的注釋者製造了混亂，但卻是一個幸運的巧合。對於中國古代的年代學學者而言，這些史冊上少有的日期記載，個個都極為重要。這些學者中的第一位劉歆（公元前46-公元23）在其《世經》之中（見於《漢書・律曆志》[27]）一字不漏地引用這三個日期和大量相關的文字，並一直將其來源認作《尚書・武成》。因為兩個文本幾乎是完全相同的，所以這些日期的來源肯定是相同的。除了兩三處有無關緊要的文字顛倒情形之外，唯一的不同在第一個日期記載中。[28]〈世俘〉所記載的干支（唯一月丙辰〔即第53天〕旁生霸）與牧野之戰的日期不合，而〈武成〉所記載的日期與之相符並可以獲得獨立的證明；[29]這使我們得到一個結論，即〈世俘〉在此有所訛誤，並非代表另外一個不同的說法，正可以藉著〈武成〉的記載訂正之。

引文的巧合絕對不是唯一可以證明〈世俘〉代表了〈武成〉原始內容的證據。〈書敘〉對〈武成〉的陳述如下：

> 武王伐殷；往伐歸獸。識其政事，作〈武成〉。[30]

雖然敘述的內容與現存的古文〈武成〉並不一致，但卻與〈世俘〉的記載極為吻合。特別值得注意的是，關於行獵的描述在〈世俘〉第七段中是如此明顯，但在古文〈武成〉中卻被轉化為戰爭動物的放養，

---

[27] 《漢書》，卷21B，頁1015-1016。

[28] 〈武成〉中關於牧野之戰的日期是「三月」而不是「二月」，但這個記載被一致認為是文本的訛誤。

[29] 關於日期相配及月相定義的簡要說明，請參見下文註54。詳細的說明，請參見拙作 Edward L. Shaughnessy, *Sources of Western Zhou History: Inscribed Bronze Vessels* (Berkeley: University of California Press, 1991), 134-155。

[30] 見《尚書》（四部備要本），卷6，頁8a。

用以象徵武王愛好和平的天性。[31]

　　另一項較早提及〈武成〉的資料，也與〈世俘〉而非現存〈武成〉的內容相合。對孟子而言，古代歷史是一項極其重要的議題，顯然他對於道德必要的觀點難以與他所看見的〈武成〉中對於周克殷的敘述相調和。在《孟子》中有一段陳述其觀點的著名章節：

> 孟子曰：「盡信《書》，不如無《書》。吾於〈武成〉，取二三策而已矣。仁人無敵於天下。以至仁伐至不仁，而何其血之流杵也？」[32]

到了漢代，孟子的歷史觀點（以及隨之而來的對史料的選擇）似乎和儒家一道盛行起來。即使整體上以嚴謹著稱的司馬遷（大約公元前145-86），在對於周人大勝的描述中，並不使用被當作〈武成〉的〈世俘〉本身相關的記載，反而仰賴《尚書·泰誓》及《逸周書·克殷》，後兩者的語言特徵明顯不屬於商朝和西周早期。[33]顯然只有充滿懷疑精神的實用主義學者王充（27-97）才沒有被孟子的歷史觀點所誘導。他針對這個主題說：

> 或言：「武王伐紂，兵不血刃。」夫以索鐵伸鈎之力，輔以蜚

---

[31] 古文〈武成〉敘述云：「歸馬于華山之陽，放牛于桃林之野，示天下弗服。」屈萬里引證〈世俘〉中關於行獵的記載，作為該文獻為真古文的證據之一。他指出這段文字不止文法與殷商甲骨中有關狩獵的記載相似，按野獸種類所分的數量也記載一致。參見屈萬里：〈讀《周書·世俘篇》〉，《慶祝李濟先生七十歲論文集》（臺北：清華學報社，1965年），冊1，頁317-332。

[32] 《孟子》，卷7B，頁3。譯按：作者將「盡信書不如無書」之「書」字，翻譯為「Documents」，意即《尚書》，故本文在「書」字加上書名號，以表示作者的原意。

[33] 〈泰誓〉是《尚書》中的古文篇章。討論〈克殷〉時代錯誤問題的相關內容，可參見黃沛榮：《周書研究》（臺北：臺灣大學中國文學系博士論文，1976年），頁289-297。

廉、惡來之徒，與周軍相當，武王德雖盛，不能奪紂素所厚
之心；紂雖惡，亦不失所與同行之意。……武王承紂，高祖
襲秦，二世之惡，隆盛於紂，天下畔秦，宜多於殷。案高祖
伐秦，還破項羽，戰場流血，暴尸萬數，失軍亡眾，幾死一
再，然後得天下，用兵苦，誅亂劇。獨云周兵不血刃，非其實
也。言其易，可也；言「不血刃」，增之也。……察〈武成〉
之篇，牧野之戰，赤地千里。由此言之，周之取殷，與漢、秦
一實也。而云取殷易，「兵不血刃」，美武王之德，增益其實
也。[34]

除了基本承認被當作〈武成〉的〈世俘〉之外，王充的論述還對確
認這篇文獻的另一個問題有所啟發。孟子將〈武成〉描述為「血之
流杵」，而《孟子》一書的傳注者認為這是從〈武成〉中一字不漏地
引用而來，但〈世俘〉中並不見此句。這就使得一些學者——例如
程廷祚（1691-1767）——去否認〈武成〉及〈世俘〉的同一性。[35]但
孟子所用的四個字很可能只是委婉的描述了此篇記載的大規模流血
事件——正如王充文中的「赤地千里」的說法一樣。〈世俘〉中雖然
沒有明確寫著「血之流杵」這幾個字，但不足以暗示孟子未曾參考
過〈世俘〉——文中記載了十七萬七千七百七十九人死亡，三十一萬
二百三十人被俘，九十九國遭到滅亡，以及例行的人牲，而這正好是
對「血之流杵」這幾個字的最佳陳述。[36]

---

[34] 參見《論衡・語增》（四部備要本），卷7，頁14b-16a。

[35] 程廷祚：《晚書訂疑》（皇清經解本），卷26，頁4a。

[36] 然而，無論究竟何人創作此文以偽裝在〈武成〉的標題之下，此人似乎也認為孟子
的描述也是一段引文。在企圖掩飾其偽造行為時，此人也將這句話採納入其文本。
以上關於〈武成〉一文在戰國及漢代的反映，大多取自顧頡剛極其重要的研究：
〈《逸周書・世俘篇》校注寫定與評論〉，頁24-27。

以下步驟都指向將〈武成〉及〈世俘〉確認為同一文獻：這篇文獻原是西周初期集結成《尚書》中不可或缺的文獻，但隨著孟子對此篇文獻的否定以及孟子理想化的歷史觀盛行，這篇文獻被排除在《尚書》之外。在偶然的機會下，它被收錄在所謂「亡逸」的文獻中，即看來是成書於公元前四世紀的《逸周書》。[37] 隨著偽古文《尚書》的出現，以及一篇包含孟子理想觀念的〈武成〉偽作，甚至這篇文獻的篇名也遭到更改。

巧合的是，篇名正是將〈世俘〉連結至〈武成〉的最後一項證據。在戰國晚期至西漢初期，有兩種為文獻定名的方法：一種是將文獻中的意義或內容作簡單的勾勒，以此作為篇名；或者是將第一句中的前幾個字或是最重要的幾個字作為篇名。在此處的例子中，兩種命名方法似乎都用到了。「世俘」（意為「大的擄獲」[38]）喚起了我們對文獻主題的聯想：對殷商領地、殷商及其所屬方國臣民、殷商財貨、以及在獲勝後狩獵中各種動物的擄獲；種種內容都表示這是一個非常適合的標題。但篇名「武成」的命名，也是來自本文中的第一句「武王成辟四方」。在前兩組複合詞中各取第一字，這是戰國時期常見的篇題命名方式，[39] 其結果當然就是「武成」。[40]

總的來說，有如下關於〈武成〉的四個要點，沒有多大疑問地表明現有的〈世俘〉基本上即是公元前四世紀末孟子所知的〈武成〉：

一、《漢書‧律曆志》曾加以引用，除了有一處訛誤之外，其他

37　參見黃沛榮：《周書研究》，頁 24-27。

38　由於在古漢語中，「世」與「大」有通假的可能，本文的注解者通常將篇名解釋作「大俘」，意即「大量的擄獲」。此義似較「獲取天下」為優。詳細論述可見顧頡剛：〈《逸周書‧世俘篇》校注寫定與評論〉，頁 2。

39　完整的討論內容，請參見黃沛榮：《周書研究》，頁 141-236。

40　這也說明〈武成〉篇題的傳統解說，亦即「戰事的勝利完成」，是不正確的。此篇名應理解作「武王（統治權）的達成」才是正確的。

都完全符合〈世俘〉本文；

　　二、〈書序〉的陳述與〈世俘〉內容相符；

　　三、孟子及王充關於此文的描述；

　　四、從〈世俘〉的第一句中得出〈武成〉標題的可能性。

（二）　語言的使用狀況

　　儘管〈世俘〉與〈武成〉的同一性（特別是其時代顯然早至孟子之時）可以用來說明其真實性，但判斷其古代來源的最可靠標準則是語言的使用情況。不僅原文的語言沒有那種讓偽作露出馬腳的時代錯誤，而且《尚書》西周部分與之相似的語言長期以來吸引著學者們的注意。[41]更重要的是，其中與傳世文獻顯然不合的特徵卻出現在甲骨卜辭和金文裡。[42]在下文中，我將討論一些習慣用語，以說明此文獻

---

[41]　可參見清代學者如魏源：《書古微》（皇清經解本），卷171，頁17a-b，程廷祚：《晚書訂疑》，卷26，頁4a。現代學者從語言方面所作的研究，有郭沫若：《中國古代社會研究》（1930年初版；北京：人民出版社，1954年再版），頁269-271；顧頡剛：〈《逸周書‧世俘篇》校注寫定與評論〉，頁28-29；及屈萬里：〈讀《周書‧世俘篇》〉，頁327-331。

[42]　許多研究金文的學者已注意將〈世俘〉與被認為是「小盂鼎」的銘文（此器現已不傳）相比對。即使保存情況不佳，仍可知小盂鼎銘文也留下了一段關於類似勝利慶典的記載，而且無論是一般或具體的語言都相當一致，值得大量引用（我特別標示出那些與〈世俘〉相似的部分）：
明，王各周廟，□□□□賓。延邦賓酈其旅服，東嚮。盂以多旅佩。鬼方子□□□入南門，告曰：王令盂以□□伐鬼方，□□□馘□，執嘼三人，獲馘四千八百□二馘，俘人萬三千八十一人，俘馬四□□匹，俘車卅輛，俘牛三百五十五牛，羊廿八羊。盂或□曰：亦□□□，孚蔑我征，執嘼一人，俘馘二百卅七馘，俘人□□□人，俘馬百四匹，俘車百□輛。王若曰：□，盂拜頶首，以嘼進，即大廷。王令榮□嘼。榮即嘼縣厥故。□越伯□□鬼獻，鬼獻虘以新□從商。折嘼于□，王呼□□令□□□□厥馘入門，獻西旅，以□入燎周廟。

與其所描述的事件屬於同一時代。

完整的日期記載所具有的價值，在本章他處基於其他理由都有適當的討論（請參見第二部分的第一及第三小節），但此處我們再從語言使用的角度檢驗牧野之戰的日期。〈世俘〉中曰：

越若來二月既死霸越五日甲子，朝至于商，則咸劉商王紂。

此句可與《尚書·召誥》中相似的一句作比較，其曰：

越若來三月惟丙午胐，越三日戊辰，太保朝至于洛卜宅；厥既得卜，則經營。

這兩句引文不僅一般的結構相似，而且如「越若來」、「越⋯⋯日」、「朝至于」等習慣用語的特徵，以及「則」字的用法也都相同。此外，在《尚書·君奭》中，「咸劉」出現在相似的語境「咸劉厥敵」裡。考慮到記載時間的「既死霸」是西周金文中的慣用法（而且重要的是，此時期之後未再出現過），因此〈世俘〉此句的幾乎每個部分都反映出已經證實的西周早期用法。[43]

除了與《尚書》的比對之外，現有已被認識到，一個更可靠的鑒別方法是將其與甲骨卜辭與金文相對照，而這些材料都應該不為偽造者所見。基於此，我們來接著考慮文中的下一段：「太公望命禦方來丁卯」。該句被若干現代學者闡述為「太公望命令禦方來，在丁卯日⋯⋯」[44]有三個特徵表明這樣的解釋是錯誤的。

---

[43] 此處的比較大體上採自顧頡剛：〈《逸周書·世俘篇》校注寫定與評論〉，頁6，注5。

[44] 可參見如陳夢家：《殷虛卜辭綜述》（北京：科學出版社，1956年），頁283；郭沫若：《中國古代社會研究》，頁270；許進雄：〈釋御〉，《中國文字》第12期（1965年），頁8a。

在〈世俘〉中，「命」字通篇以被動態出現，例如「陳本命伐磨」（見原文第六段）。雖然這種用法不見於《尚書》或《詩經》，但出現在同時代的銘刻中。例如以下這一組甲骨卜辭云：

> 甲申卜：命啄宅正。（《乙編》8898）（譯註：《殷虛文字乙編》）
>
> 甲申卜：啄命宅正。（《乙編》8893）

在這兩段文字中，主詞—動詞倒轉的情況，清楚地表示「命」字可使用於被動語態的可能性。另有一項更有力的證據來自稍晚的西周青銅器競卣。其銘文第一句云：

> 隹伯屖父以成𠂤即東，命伐南尸。

在句中，「命」字必須理解為被動態。[45] 有趣的是，該字所在的短語也與〈世俘〉通篇出現的「命伐」相同。

將這一信息帶入討論，可以注意到另一個卜辭中常見的說法「禦方」的出現。雖然「禦」通常解釋為「抵禦」，但這裡的「禦」後面跟著表示「方國」的「方」字，因此幾位著名的甲骨學者皆將「禦方」釋為地名。[46] 但在分析以下的例子之後，我們發現「禦方」這個詞組既不作為句子的主詞，也不用在主動動詞之前。

---

[45] 白川靜認為「命」字在此為名詞，被「東」字所修飾，也是「即」字的受詞。他解釋此句為「反映東方的命令」（《金文通釋》，收入《白鶴美術館誌》〔神戶：白鶴美術館，1962-1984年〕。）雖然其讀法不甚通順，白川靜反對「命」用為被動態的說法，認為該字在此亦不作此用法。另一方面，郭沫若則斷然地認為「命」字在此作被動態用法。參見《兩周金文辭大系》，〈考釋〉，頁36。

[46] 可參見註44。指出「禦方」為地名的學者，包括王國維、楊樹達與陳邦懷；上引學者的簡要說明，可參見白川靜：《金文通釋》。

卜師：乎禦方于商。（《後編》2.41.16）（譯註：《殷虛書契後
編》）

壬午卜師貞：玨命多視禦方于……。（《後編》2.42.9）

……巳卜王貞：于中商乎禦方。（《佚存》348）（譯註：《殷契
佚存》）

己卯卜：王命禦方。（《外編》30）（譯註：《殷虛文字外編》）

丙辰卜：徝禦方。（《南坊》3.62）（譯註：《戰後南北所見甲骨
錄．南北坊間所見甲骨錄》）

勿乎禦方。（《庫方》595）（譯註：《庫方二氏藏甲骨卜辭》）

貞：冓于入禦方。（《前編》5.2.7）（譯註：《殷虛書契前編》）

辛亥卜中貞：令冓以……禦方于陟。（《甲編》）（譯註：《殷
虛文字甲編》）

在上引例子中，有幾處「禦」字緊接在「乎」字之後，皆可與「乎
伐」、「乎取」、「乎比」、「乎來」、「乎出」等作比較，其「乎」字之
後皆為動詞。[47]這正揭示「禦方」不可被解釋為地名，而應該是動賓
結構的詞組。

西周金文中「禦」的另一個例子也確認了這個動詞用法，而且提
供了充足的語境來判斷其意義。這件宣王時期（公元前827-782年在
位）的不娶簋有如下的銘文：

> 唯九月初吉戊申，伯氏曰：不娶，馭方玁狁廣伐西俞，王令我
> 羞追于西，余來歸獻禽，余命汝御追于畧，汝以我車宕伐玁狁
> 于高陶，汝多折首執訊，戎大同，從追汝，汝彶戎大敦搏，汝
> 休，弗以我車陷于囏，汝多禽，折首執訊。伯氏曰：不娶，汝

---

[47] 參見許進雄：〈釋御〉，頁8a。

小子，汝肇誨于戎功，賜汝弓一、矢束、臣五家、田十田，用從乃事。不娶拜頷手休，用作朕皇祖公伯、孟姬障毁，用勾多福，眉壽無疆，永純需終，子子孫孫其永寶用享。

本篇銘文與虢季子白盤有關，後者為此處描述的事件提供了背景。虢季子白盤銘中有完整的日期，說明該銘文發生於宣王十二年（公元前816），內容為虢季子白在戰事獲勝之後，受朝廷嘉勉的儀式。從銘文看來，虢季子白的這一場勝仗雖然具有決定性，但卻不是最後一戰；因為不娶簋雖然缺乏記年的時間，但其關於月日的記載卻是完全符合宣王十三年（公元前815）的。從不娶簋銘文的內容來看，我們所說的這個日期應該是正確的。不娶簋銘文開頭提及「白氏」（亦即虢季子白）最近的勝仗，接著命令他的下屬不娶完成綏靖該地區的任務。這道命令首先在開頭段落中被提及，接著再以「御追于罯」一句被進一步說明，意即指揮掃蕩行動一類的任務。

這也就是〈世俘〉的語境所需要的意義。值得注意的是，最早為〈世俘〉作注的孔晁（265）也在其注中提到這個意思：「太公望命禦方來丁卯」，意為「太公受命追御紂黨方來。」但因為孔晁是公元三世紀末時人，並不熟悉商代的語言，因此在他的注解中犯了一個小錯誤。（譯註：孔晁將「方來」釋為地名，其所謂的錯誤即指此。）

「翌」與「來」二字，在上古漢語中皆用以指示未來的時間。在商代的甲骨卜辭中，「翌」通常指未來的一到兩「日」，如：

甲寅卜殻貞：翌乙卯易日。（《乙編》6385）

癸卯卜殻貞：翌甲辰酒大甲。（《乙編》7258）

乙酉卜賓貞：翌丁亥不其易日。（《粹編》605）（譯註：《殷契粹編》）

在〈世俘〉中（參見原文第二段），「翌」字曾出現一次，用以指示一個系列中的一個次日，這種用法亦見於《尚書》中的〈召誥〉及〈顧命〉。至於「來」字的用法，有證據顯示，在商至西周時期產生了一些變化。

在商代甲骨卜辭中，「來」字用以指示卜辭中所記載時間的下一個旬中的某個日子。如：

> 戊辰卜爭貞：來乙亥不雨。（《前編》7.27.2）
> 丁酉殷貞：來乙巳王入于勉。（《續編》3.15.1）（譯註：《殷虛書契續編》）
> 自今辛至于來辛有大雨。（《粹編》692）
> 癸丑貞：來乙王彝于且……。（《佚存》714）

西周時「來」字的用法則有微妙但重要的區別。由於周人使用創新的月相法以區隔月中的時段，取代了商人旬的用法；因此「來」不再用以指示下一個「旬」中的某個日子，而用以指出下一個「月」中的某一個日子。[48] 在〈世俘〉的例子中，「來丁卯」（第4天）與此句原本的時間參照系「甲子」（第1天）屬於同一旬，如此顯然違背了商代的用法。然而，從附錄「大事日程」中可知，甲子日是第二月的第二十八天，則丁卯日就必然在下一個月中。因此，依據周人的用法（當然亦即〈世俘〉的用法），「丁卯」之前應該加上「來」字，正如文中那樣。既然「來」如此同之前的詞組分開（既不是作為「前來」的動詞意義，也不是作為複合地名的一部分，如孔晁所謂的「方來」），而且考慮到上文所討論的「命」和「禦方」這類習語，整句

48　參見W.A.C.H. Dobson, *Early Archaic Chinese* (Toronto: University of Toronto Press, 1962), 88。

的意思肯定是：「太公望受命抵禦方國。在下月的丁卯日，太公望抵達該地，報告所馘及俘虜的情況。」

上文的兩個例子都展示了商至西周時期的一些習慣用法。在〈世俘〉中也有許多單獨的詞彙具有典型的該時期語言特徵。以下則簡要地舉三或四個例子加以說明。

「俘」字當然經常出現在〈世俘〉中。雖然在較晚的用法中，「俘」字通常是作名詞使用，但在本文中則有三種不同的用法：作為名詞，意指「俘虜」（例如「告以馘俘」，參見原文第三、四、六段）；作為俘虜人員的動詞（例如「俘艾侯佚侯」，參見原文第六段）；作為擄獲無生命物件的動詞（例如「俘殷丑鼎」，參見原文第五段；「武王俘商舊玉」，參見原文第十段）。而從以下的例子中可以證明，「俘」字的後兩種用法在商及西周時代是常見的用法。例如：

> 四月庚申亦出斷自北，子𬉼告曰：昔甲辰方征于蚊，俘人十又五人；五日戊申方亦征，俘人十又六人，六月在……（《菁華》5）（譯註：《殷虛書契菁華》）
> 執嘼二，隻衆四千八百□十二衆，俘人萬三千八十一人，俘馬□□匹，俘車卅兩，俘牛三百五十五牛，羊卅八羊。（小盂鼎）[49]
> 毆俘士女羊牛，俘吉金。（師寰簋）

對於周人的記述者而言，儘管俘獲的紀錄十分重要，但俘獲之後的獻祭（特別是人牲）具有更重要的象徵意義。舉例來說，〈世俘〉中的「燎」字（意即焚燒犧牲）與小盂鼎銘中的對比令人驚訝（參見上文註42）。也許更加微妙但同樣表現時代特徵的是〈世俘〉中其他

49　關於小盂鼎原文，請參見上文註42。

表示獻祭的詞彙。例如「伐」字，在西周中期以後，變成只剩下表達軍事攻擊的用法；但在殷墟卜辭中，「伐」字通常是特殊的人牲用詞，其字形生動地表現出斬首人犯的意義。[50]而「伐」字在〈世俘〉中的用法，例如「伐厥四十夫家君鼎師」，則明顯表示同一類的獻祭。

除了「燎」、「伐」這些具體的獻祭用詞之外，在殷墟卜辭中還有一對更一般的獻祭詞彙：「业」或「又」（意即「侑」），以及「用」。[51]我們在此只考慮「用」的例子。[52]

丁卯卜：用反于兄己。（《續編》1.44.1）

其用人牛十又五。（《南北》「明」525）（譯注：《戰後南北所見甲骨錄‧明義士舊藏甲骨文字》）

此處作為獻祭之意的「用」字，也可以西周早期金文令彝證明，其云：「乙酉用牲于康宮。」以上這些例證，與〈世俘〉「用牛于天于稷五百有四」一句相比較，明顯可知「用」字即為獻祭的專用詞彙。[53]

這些殷商與西周時期語言的特點，強烈顯示出〈世俘〉的創作年代與其所描述的事件相同。

---

[50] 在安陽地區已發掘的屍骨中，有相當一部分是被斬首處死的，可參見石璋如：《小屯遺址的發現與發掘乙編》（臺北：中央研究院，1959年），頁7-8、297-299。

[51] 關於這兩個用於犧牲的動詞之討論，可參見姚孝遂：〈商代的俘虜〉，《古文字研究》第1輯（1979年），頁381-382。

[52] 我懷疑「侑」字的這種用法，也明顯用於〈世俘〉的第九段中。該句作「伐右厥六十小子鼎大師」，只是在傳寫時將「侑」字寫作「右」字，但這樣的看法對於文獻真實性來說或許不能作為定說。

[53] 在此句中「于」字的用法，與上文「告于天于稷」同樣值得注意。例如，與《續編‧1.42.5》：「毋又于且辛于母辛」，以及《粹編‧32》：「既燎于河于岳」相比較。無論第二個「于」字應解釋為重複的介系詞或是連接詞，〈世俘〉文句與殷墟卜辭的相似都引人注意。

（三） 內容與文獻的完整性

判斷任何文獻歷史價值的最後一個標準，即是適切的內容與原文的完整性。在先前的討論中，筆者指出語言使用方面的特點確實屬於商周過渡時期。就其一般風格來看，〈世俘〉明顯是王朝更替的寫實記載，正如漢朝時的王充所提到的那樣（請參看上文，頁42）。的確，王充的觀點主要基於與該時代的相關史事作常識性的比較；但此類常識在史學上通常比孟子式的理想主義有更大的作用。

儘管如此，對大多數的學者而言，〈世俘〉的問題卻出在其完整性。問題圍繞三個完整日期的記載展開。暫且不論第一個日期的問題（請參看上文，頁41），第二、三的兩個日期的聯繫以及之間可能發生的事件皆是文獻中出現混亂的癥結所在。基於王國維（1877-1927）對月相名稱的定義，記載牧野之戰的第二個日期對應於二月的第二十八天，而記載周廟焚燎獻祭的第三個日期對應於四月的第十六天。[54] 只需要一點小小的修正，這兩個日期的間隔就能符合甲子

---

[54] 在王國維的〈生霸死霸考〉中，以金文為立論基礎，證明了劉歆所解釋的月相內容（「生霸」即望，「死霸」為朔）是錯誤的。王國維在另一方面，將一個月區隔為四個部分，「初吉」是指每月的第一天至第七或第八天，「既生霸」是指每月的第八或第九天至第十四或第十五天，「既望」是指每月的第十五或第十六天至第二十二或第二十三天，「既死霸」是指每月的第二十三天至月終為止。參見王國維：〈生霸死霸考〉，《觀堂集林》（1923年初版；北京：中華書局，1959年再版），卷1，頁1a-4b；頁19-26。王氏在文中討論了關於〈世俘〉（即《漢書》所引用者）的日期，總結認為牧野之戰的日期應是二月的第二十七天，另一個日期則定為四月的第十五天。本文雖然基本依賴王氏所提出的論點，但在本文所重新排列的日程中，則稍微作了一些修正。王氏認為「既死霸」是指第四部分的第一天，我則以為應該是翌日，因為「既」一般有「之後」的意思。在月相週期上，這導致一天的差異；在我的日程中，牧野之戰是二月的第二十八天，因此在周廟焚燎犧牲的日期則是四月的第十六天。

日（第1天）至庚戌日（第47天）的四十七天。[55]假如這兩個日期是
僅有的證據——正如它們在《漢書》的〈武成〉引文中那樣——就很
容易進行我們需要的修正。[56]但〈世俘〉帶來的幸運（對某些人可能是
不幸）在於它填補了兩者之間的空白（可惜沒有完整的日期記載，但
至少干支是具備的）。而這份編年史表明這樣一個簡單的四十七天間
隔是不可能的。

關於這一不可能性，最顯著的證據是辛亥日（第48天）出現了
兩次：第一次記載了武王於商都「薦俘殷王鼎」（見原文第四段），
第二次則記載了武王於周都登基（見原文第九段）。[57]在三千多年前的
古代，一個人可以在相距超過五百五十公里的兩個地方，於同一天進
行不同的活動，自然是無法想像的。結論可想而知，這兩個辛亥日
所記載的史事，必然是發生在兩個不同的干支周期中。這不僅符合
了〈世俘〉原文的順序，也符合軍隊自安陽郊區返回至西安的後勤需

---

[55] 這四十七天的間隔時間，若要符合這兩個完整日期中的月相記載，則我們必須假設
有兩個連續的小月（即每月二十九日），或者〈世俘〉文中所提的「既旁生霸」是
第十天而非第十一天，如此六天之後的庚戌日則是第十五天而非第十六天。

[56] 比如王國維在〈生霸死霸考〉中就如此做，只針對《漢書》中〈武成〉引文。但有
趣的是，這些日期是劉歆徵引自古本〈武成〉的，但他卻不認同兩者之間四十七天
的間隔時間。基於劉歆對於月相的定義，他將牧野之戰定於二月的第五天，而焚燎
於周廟的日期則定於四月的第二十二天（第五個月），並於中間插入一個閏月。換
句話說，劉歆安排這兩個日期，中間相隔了一百零七天。

[57] 孔廣森與其他學者一樣，皆認為原文第五段以及其他在第九段中記載的典禮儀式，
都在周都進行，參見氏著：《經學卮言》（皇清經解本），冊11，頁8347。與此相
似，對於〈世俘〉的重新整理也可參見顧頡剛：〈《逸周書·世俘篇》校注寫定與
評論〉，頁22-23。但一項有力的證據足以推翻這種論點。在原文第九段中記載，
庚戌日（第47天）時，這些被擄獲的殷商貴族皆被處死——先射殺之後再斬首。
在原文第五段中記載，癸丑日（第50天）時，這些被擄獲的殷商貴族則被「薦」。
如果這兩則文字可以一併理解，則必須說明何以四天之後，這些被肢解的殷商貴族
可以被「薦」於周族的先公先王。

要。[58]

　　如果牧野之戰與勝利慶典之間增加六十日，則間隔時間將是一百零七天而非四十七天。當干支日期用於代表這些事件的時候（亦即甲子日及庚戌日插入包含了一百零七天間隔的日曆中，可參見附表「大事日程」），兩個日期的月相記載完全與其標準定義一致。這一日曆引發了另一個有趣的特點：在周地慶祝勝利的慶典以及在商都舉行的相應儀式，都始於當月的第十六天。其實這並不是巧合，因為第十六天正好是滿月的第二天；而西周金文可以證實此類勝利慶典通常都在是日黎明前的幾個小時舉行（換句話說，其實還是屬於第十五天滿月的夜晚）。[59]

　　儘管月相以及干支日期看起來十分對應，但還有一個較大的問題：周都的獻祭按規定應該發生於第四個月，然而從二月的第二十八天開始算起，一百零七天的間隔則應該終於第六個月。由於這個問

58　在這個問題的研究上，本文原文載有很長的註解（收錄於 *Early China*, 6〔1980-1981〕: 70n3），說明中國古代軍隊的行軍速度，大約是一天十五公里左右。我認為這個觀點是正確無疑的，不需要再說明。關於古代後勤方面的問題，可參見 Donald W. Engels, *Alexander the Great and the Logistics of the Macedonian Army* (Berkeley: University of California Press, 1978)。在〈世俘〉原文第四段中，當百弇受命攻擊衛時（「衛」即周人給現今安陽的名稱），很清楚地周軍在甲申日（第21天）時，仍在商都的附近。在原文第九段中，敘述武王抵達位於現今西安附近周都的周廟，時間是在庚戌日（第47天）。既然從西安至安陽的路程至少有七百公里，一個軍隊應該需要兩倍於二十六天的時間行軍才能回到周都。這還不考慮中間有沒有其他的戰鬥（〈世俘〉原文第六段記載了周軍攻擊了磨、宣方、蜀和厲，這些方國的地域，參見下文註71）。從軍隊後勤的種種限制來看，必須再加入一個六十日週期的時間，方能符合原文裡關於商都周邊以及在周都中所發生的事情。

59　特別要注意的是在小盂鼎銘中所記載的儀式，該儀式即是在「既望」舉行，亦即每個月的第十六天。關於此問題，可以參見上文註42，亦可參見 Dobson, *Early Archaic Chinese*, 231-233。關於這個議題，還有多友鼎銘文可資佐證，亦可參見拙作 Edward L. Shaughnessy, "The Date of the Duo You Ding and Its Significance," *Early China* 9-10 (1983-1984): 63-64。

題的困擾，對〈世俘〉研究最為深入的現代學者顧頡剛（1893-1980）也對整理出文獻中曆法系統頗為絕望。[60]然而，對文獻傳抄時所用字體的知識也許能解決這一謎團。最近，周法高提出這一混淆可能來自古文轉寫為篆文時的訛誤。篆文「六」字寫作「𠈃」，與古文「四」字「𠀪」形體極為相近，因此原文中的「六月」極可能因此訛作「四月」。[61]這個簡潔的修訂，不僅支持現今我們對原文的整理排序，也使得兩個完整的日期記載可以互相支持。因此可以證實文獻的完整性。

最後，董作賓（1895-1963）在曆法方面的重建工作，也對〈世俘〉的曆法提出有力的確證。在〈世俘〉的曆法中，月份分別始於丁卯日（第4天）、丁酉日（第34天）、丙寅日（第3天）、丙申日（第33天）、乙酉日（第2天）以及乙未日（第32天），這恰好能精準地符合公元前一〇四五年的日曆（以上可參見附表「大事日程」）；[62]而倪德衛（David S. Nivison）教授已經用幾種不同的方式，證實此年即是周克殷之年。[63]這足以確信〈世俘〉是在克殷之後隨即著成的真實文獻。

---

[60] 參見顧頡剛：〈《逸周書·世俘篇》校注寫定與評論〉，頁31。顧氏針對孔廣森及陳逢衡的有趣看法寫了頗長篇幅的討論。然而孔、陳二氏的結論最後仍然無法成立，因為他們都過於相信劉歆對於月相所作出的定義。

[61] 參見周法高：〈On the Date of the Chou Conquest of Shang〉，《國立中央圖書館館刊》新19卷，第2期（1986年），頁28。在文中，周氏回應了我在本文初稿中所提出的看法——在牧野之戰勝利後（在該年的二月末），武王重新修訂曆法，因此原本殷曆的三月，則改為周曆的一月，以下如此類推；這也就是何以原本殷曆的六月會記載成四月的原因。對於周氏簡潔的解釋，我樂於接受。

[62] 參見董作賓：《中國年曆總譜》（香港：香港大學出版社，1960年），冊1，頁124。

[63] 參見David S. Nivison, "The Dates of Western Chou", *Harvard Journal of Asiatic Studies* 43.2 (1983): 481-580。倪氏後來對周克殷日期作出修正，可參見 David S. Nivison, "1040 as the Date of the Zhou Conquest," *Early China* 8 (1982-1983): 76-78。但我認為周克殷之年為公元前一〇四五年，詳細的討論見於拙作 Shaughnessy, *Sources of Western Zhou History*, 217-236。

第三部分　克殷之戰

在確定了〈世俘〉原文的真實性之後，現在可以此為基礎，對周克殷之戰做出以下的大事記。

雖然〈世俘〉文中記載，武王從周地出發是在癸巳日（第30天）時，亦即一月的第二十七天（公元前1046年的12月15日），我們有理由可以相信，這一天並不是戰役的開始之日。漢代所引用的《尚書·泰誓》有一段奇怪的記載：「丙午（第43天；與〈世俘〉的日程可相繫聯，該日為二月的第十天，亦即公元前1046年12月28日），王至於師。」而〈世俘〉中明確記載武王——可能只有武王及其貼身隨從——於癸巳日出發。結合這一點，我們發現周軍必須在此之前就已啓程（這是由戰役所需的後勤工所決定的，可參見註58）。周軍於何時出發？在《國語·周語》中有一段著名的話提供了精確的天文時間，其文云：

> 昔武王伐殷，歲在鶉火，月在天駟，日在析木之津，辰在斗柄，星在天黿。[64]

依據倪德衛的看法，歲（即「木星」）、日、月與辰於此日交會，而在公元前一〇四六至一〇四五年之間，只有一日可以符合這些條件，即公元前一〇四六年的十一月十六日。[65]將這個日期與〈世俘〉文中

---

[64] 《國語》（四部叢刊本），〈周語下〉，卷3，頁22b-23a。

[65] 此日期的推定，初見於Nivison, "The Dates of Western Chou"（參見註44），此說是我初步研究的基礎。雖然倪德衛隨後在他出版的論文中，認為《國語》中此段記載是捏造的文字（參見原文頁510，註12）。這個結論在我看來是可靠的，但因為這一點並未實質地影響本文中推定年代的結果，我也就不改變本文的原貌。

所需要符合的日期相繫聯，正好可以將日期定於十二月的第二十七天。計算此日的干支，結果並非出於偶然，正好就是甲子日。周人對良辰吉日最為重視，我們可以想見他們會選擇一個特別吉祥的日子開始伐商之役。沒有比干支循環的頭日甲子更合適的了，牧野之戰正表明了這一點，其日期（甲子）明顯是周人有意的選擇。

對擇日的考量也許也決定了武王動身的日子。眾所皆知，在晚商時期（具體地說是第五期），統治者的習俗是在天干的最後一天，即癸日時舉行占卜，以確定下一旬能夠吉祥平安。周人很可能也有這項占卜傳統。若是如此，我們可以假定，周軍於甲子日啓程的一個月後，在癸巳日的清晨，武王於周廟舉行最後一次正式的占卜。在確定了未來行動的吉祥之後，武王即出發趕上先行的軍隊。無論是在革車上或在馬背上，武王的速度無疑快過為數眾多的周軍。他在丙午日趕上部隊的事實進一步驗證了軍隊的出發日期是十一月十六日，因為這表明武王以十四天的時間，走了周軍四十三天所行的路程。其速度為軍隊的三倍，這也與實際經驗相符。

接下來提到了伐商部隊在戊午日（第55天，公元前1045年1月9日）於孟津渡過黃河。[66] 從那裡又經過六天的行軍，在癸亥日（第60天，公元前1045年1月14日）到達牧野，並為隔天的戰鬥做好部署。現在每個人都知道戰鬥以周軍的壓倒性的勝利結束；但〈世俘〉表明它不是所有敵意的終結，正如常識告訴我們的那樣。在勝利得到最終鞏固之前，還必須經歷一系列的掃蕩活動。第一次掃蕩隨著牧野之戰的結束而展開；周軍的統帥太公望受命確守商都地區。太公望在四天內完成這項任務，而在隔天的戊辰日（第5天，1月19日），武王正式宣布建立周朝的政權。

---

66 可參見《尚書·序》與《史記》，卷4，頁121。

　　建立政權是一回事，保證其延續是另一回事。在〈世俘〉的下一段提到一系列針對商都北方及東方的殷商舊臣的戰役，自壬申日（第9天，1月23日）開始。但在戰役開始之前，武王在商都附近一處重要的宗教中心，主持某一種慶祝勝利的典禮。發現於一九七六年的利簋（它證實了牧野之戰的時間的確是在甲子日，因此引起許多學者的興趣）即在王賜金於器主「有使利」之後鑄成。[67]銘文中記載王賜金的時間是辛未日（第8天，1月22日），地點為𥛱；依據晚商金文的記載，該地應在商都附近，並設有太室。[68]將此銘文與〈世俘〉對照，這次慶典的目的是在一次巨大的勝利之後犒勞將士，並鼓勵他們投入新的戰鬥。

　　針對越、戲方、陳、衛的掃蕩戰役一直持續到甲申日（第21天，2月4日）。[69]在彙報勝利之後，〈世俘〉的記載有幾乎一個月的空

---

[67] 關於此器詳細的討論，請參見拙作 Shaughnessy, *Sources of Western Zhou History*, 87-105。

[68] 關於𥛱與商的關係，可參見赤塚忠：《中國古代の宗教と文化：殷王朝の祭祀》（東京：角川書店，1977年），頁665，及頁138以下諸頁。

[69] 屈萬里：〈讀《周書·世俘篇》〉，頁329-330，指出這些方國的所在位置與下列春秋時代的地域有關：越，位於衛國的西南方；戲，位於鄭國的東北方；陳，與春秋時代陳國同名，位於宋國的西方；衛，與春秋時代衛國同名，位於故商都的東北方。我雖然未能用甲骨卜辭中的例證，確認屈氏的說法是否正確，但大致上看來應該是可信的。至於衛，則需要作一些說明。關於衛的地點，在傳統文獻中有兩種不同的說法。《漢書·地理志》認為衛即是朝歌，亦即牧野之戰的故址。另一方面，《左傳·定公四年》與《史記·衛康叔世家》則認為衛即是現今安陽的殷墟。〈世俘〉則證實了後者才是正確的。朝歌在牧野之戰後隨即被佔領，如果二十餘天後又將此地作為掃蕩目標，這就重複了。如果以衛作為商朝的故都，也可能仍然是重要的宗教中心，將之視為在朝歌以北約一百公里的現今安陽，這也可以解釋何以虎賁——周軍中的精銳部隊——明確受命要攻擊此地。這個考慮也可能選擇執行此項任務的指揮官的決定。擔任攻擊任務的將領是百弇，也許攻擊戲方的也是他（參看第六段以及上文註13）。從讀音與文字的角度思考，我認為百弇即是《逸周書·克殷》中代表武王在征伐後扮演重要角色的檀伯達，或許也是利簋的作器者。詳盡的

白。我們只能推測，這段時間裡佔領軍只是在例行公事。但在完全
控制商都之後的第一個滿月之日，周人在商都大肆慶祝。從辛亥日
（第48天，3月2日）至乙卯日（第52天，3月6日）所發生的事，在
〈世俘〉文中已有詳盡的記載，在此無需多加詳述。只要加上一段概
括的話就夠了：這些慶典表露了武王具有圓滑且工於心計的一面。它
們似乎經過精心設計，刻意引發商人對其征服者活力的敬畏，卻同時
試圖降低他們的敵意。毫無疑問，由於這個原因，雖然武王和俘獲的
商朝將士在一起，但卻沒有立即將他們處決並獻祭，他反而希望將他
們帶回周人的家園。[70] 雖然在〈世俘〉原文第九段中，武王的確在周
地將商人將士處決並獻祭，但這卻是周人的事，沒有被商人看見。可
能部分是由於這個表面仁慈的政策，殷商的軍隊才願意服從周人的

說明，可參見拙作 Shaughnessy, *Sources of Western Zhou History*, 91。在〈世俘〉文
中，除了同樣也見於其他文獻的太公望（當然關於此人有相當豐富的記載）之外，
就只有百弇被提及了，由此可知他的成就可能較其他的將領要高，也因此適合指揮
如此重要的戰役。

[70] 從殷墟卜辭的例證中，可以得知殷商人在佔領一地之後，接下來採取的動作。例如
第五期甲骨卜辭中的兩則例子：
小臣牆比伐，擒危柔……卅人四，爾千五百七十，敏伯……丙車二丙，脫
百八十二，函五十矢……用又伯度于大乙，用帷伯……敏于祖乙，用柔于祖丁。
（《綜圖》16.2）（譯註：《殷虛卜辭綜述》附圖）
內丁卜在攸貞：王其乎口征執胃人方口，焚口口弗每。在正月，隹來正人方。
（《哲庵》315）（譯註：作者原文作 Zheyan，應是曾毅公《哲庵甲骨文存》之誤）
雖然兩片甲骨不甚完整，但皆可從中提供一些征服者如何處理戰果的動作，可藉
此觀察周克殷之後的作為。《綜圖》16.2 記錄了在戰場上虜獲超過一千六百九十四
人，但值得注意的是，只有四個方國的首領，在戰後遭到獻祭。（關於此問題的詳
盡討論，可參見姚孝遂：〈商代的俘虜〉，頁385-390。）同樣的，在《哲庵》315
中，有一位與殷人為敵的人方首領被處決。而處決的地點「攸」，也頗值得注意。
在關於殷人對抗人方一系列戰役的卜辭資料中（可參見董作賓：《殷曆譜》〔四
川南溪：中央研究院，1945年〕，下9，頁48a-63b），顯示「攸」在戰役期間是
殷商的同盟，也算得上是殷商大軍的前進基地。因此，在處決人方首領之前回到
「攸」，與武王將殷商貴族處決之前送回周地，是相同的情形。

統率。甲寅日（第51天，3月5日）發生的事件似乎確實表明了這一點。

至此，無論在軍事、政治（可注意辛亥日〔第48天〕及壬子日〔第49天〕，關於各方國首領之「正」記載）還是心理層面，伐商的行動都完成了，武王及周軍（或至少不用駐守在故殷領土上的部分軍隊）現在可以自由班師了。顧及行軍的後勤所需，軍隊一定在一連串的典禮結束之後就立刻拔營啟程。雖然現在周人已經是商民的主人，但這並不足以滿足這些自認為已接受了天命並將統治全中國的人。現在武王更有責任將至今一直與商、周敵對的西方諸國也納入統治範圍。這是由最後一次大規模掃蕩活動實現的，周人在班師故土的過程中，進攻了磨、宣方、蜀、屬等方國。[71]

隨著西向的戰役成功落幕（在乙巳日，第42天，4月25日），桀驁難馴的方國也紛紛服從，武王再一次在周都慶祝勝利。慶典又一次在結束戰爭後的第一個滿月舉行（庚戌日，第47天，4月30日），而這次伴隨著肆無忌憚的流血犧牲。儘管後來的儒者拒絕承認有德的周朝元勳會使用暴力，但〈世俘〉的記載毫無懷疑地告訴我們，周人投入這種活動的熱情，就如同以此而聞名的商人。無論死者鮮血能否慰

---

[71] 我未能詳細地指出磨及屬的地點。但宣方及蜀則常在甲骨卜辭中出現，因此能清楚地知道它們位在殷商的西方，或許在現今山西省的南部。關於這方面的地理位置，可參見陳夢家：《殷虛卜辭綜述》（北京：科學出版社，1956年），頁275-276、295-296。屈萬里（〈讀《周書·世俘篇》〉，頁329-330）曾注意到，在較晚的文獻中未曾記載宣方之名，然而卻在〈世俘〉出現，可以作為〈世俘〉真實性的有力證據。然而〈世俘〉記載周攻擊蜀一事，也許是更重要的。雖然記載周克殷的傳統文獻中，通常將蜀列為周軍的八個連盟之一（記載於最具權威性的《尚書·牧誓》中），一九七七年在陝西岐山發現，編號為H11：68的西周甲骨卻記載云：「伐蜀」（參見《文物》，1979年第10期，頁40）；龜甲的照片在圖版5，第4幅，摹本在頁43，圖片第11。這些甲骨顯然是在西周初年文王、武王時刻下，這段卜辭可以證實，在周克商期間，正如同〈世俘〉文中所描述，蜀應該是周的敵人才是。

藉周人的先祖，它肯定向周人證明了他們現在是全中國的統治者。

　　在此可以作一結論：每當鑄有銘文的青銅器出土時，現代的學者們的興奮是完全合理的。但土地並不是唯一埋藏真實記載的管道。在〈世俘〉的例子中，儒家理想主義同樣掩埋著真相。讓我們不要屈從於自己的偏見而向非地下出土的證據說不，而要像對待新出土金文一般檢驗這份文獻。無論是在年代、軍事還是朝廷禮儀等方面，〈世俘〉可以告訴我們許多關於西周早期的事情。

（黃聖松、周博群　譯）

附表 「大事日程」

日	建戌·十二月	建亥·一月	建子·二月
1		丁卯 4	丁酉 34
2		戊辰 5	戊戌 35
3		己巳 6	己亥 36
4		庚午 7	庚子 37
5		辛未 8	辛丑 38
6		壬申 9	壬寅 39
7		癸酉 10	癸卯 40
8		甲戌 11	甲辰 41
9		乙亥 12	乙巳 42
10		丙子 13	丙午 43：王至于師。
11		丁丑 14	丁未 44
12		戊寅 15	戊申 45
13		己卯 16	己酉 46
14		庚辰 17	庚戌 47
15		辛巳 18	辛亥 48
16		壬午 19	壬子 49
17		癸未 20	癸丑 50
18		甲申 21	甲寅 51
19		乙酉 22	乙卯 52
20		丙戌 23	丙辰 53
21		丁亥 24	丁巳 54
22		戊子 25	戊午 55：軍隊於孟津渡河。
23		己丑 26	己未 56
24		庚寅 27	庚申 57
25		辛卯 28	辛酉 58
26		壬辰 29	壬戌 59
27	甲子 1：周軍啟程。	癸巳 30：武王自周啟程。	癸亥 60
28	乙丑 2	甲午 31	甲子 1：周人於牧野大捷。太公望命馭方。
29	丙寅 3	乙未 32	乙丑 2：
30		丙申 33	

日	建丑，三月	建寅，四月	建卯，五月	建辰，六月
1	丙寅 3	丙申 33	乙丑 2	乙未 32
2	丁卯 4：(太公)望至告以馘俘。	丁酉 34	丙寅 3	丙申 33
3	戊辰 5：王逢禦循，祀文王。時日，王立政。	戊戌 35	丁卯 4	丁酉 34
4	己巳 6：	己亥 36	戊辰 5	戊戌 35
5	庚午 7	庚子 37	己巳 6	己亥 36
6	辛未 8 在鳳師舉行慶典；利簋。	辛丑 38	庚午 7	庚子 37：陳本命伐麿，百韋命伐宣方，荒新命伐蜀。
7	壬申 9：侯來命伐靡集于陳。	壬寅 39	辛未 8	辛丑 38
8	癸酉 10	癸卯 40	壬申 9	壬寅 39
9	甲戌 11	甲辰 41	癸酉 10	癸卯 40
10	乙亥 12	乙巳 42	甲戌 11	甲辰 41
11	丙子 13	丙午 43	乙亥 12	乙巳 42：陳本，荒新至告以馘俘。百韋命伐屬。
12	丁丑 14	丁未 44	丙子 13	丙午 43
13	戊寅 15	戊申 45	丁丑 14	丁未 44
14	己卯 16	己酉 46	戊寅 15	戊申 45
15	庚辰 17	庚戌 47	己卯 16	己酉 46
16	辛巳 18：侯來至告以馘俘。	辛亥 48：薦俘殷王鼎。	庚辰 17	庚戌 47：武王朝至燎于周廟。
17	壬午 19	壬子 49：王正邦君。	辛巳 18	辛亥 48：武王祀于位。
18	癸未 20	癸丑 50：薦俘殷王士百人。	壬午 19	壬子 49
19	甲申 21：百弇命以虎賁誓命伐衛。	甲寅 51：謁戎殷于牧野。	癸未 20	癸丑 50
20	乙酉 22	乙卯 52：籥人奏「崇禹生啟」三終。	甲申 21	甲寅 51
21	丙戌 23	丙辰 53	乙酉 22	乙卯 52：武王以庶國馘祀于周廟。
22	丁亥 24	丁巳 54	丙戌 23	
23	戊子 25	戊午 55	丁亥 24	
24	己丑 26	己未 56	戊子 25	
25	庚寅 27	庚申 57	己丑 26	
26	辛卯 28	辛酉 58	庚寅 27	
27	壬辰 29	壬戌 59	辛卯 28	
28	癸巳 30	癸亥 60	壬辰 29	
29	甲午 31	甲子 1	癸巳 30	
30	乙未 32		甲午 31	

3

《竹書紀年》的真實性

　　在最近的一個五年期間內，古代中國的歷史和語文學領域兩個美國權威的學者發表了文章，於《哈佛亞洲研究學報》（*Harvard Journal of Asiatic Studies*）出版，對於《竹書紀年》——據傳於公元二八〇年時發掘自戰國時期魏襄王（死於公元前296）墓中的一本古籍——的真實性針鋒相對地進行辯論。吉德煒（David N. Keightley）首先代表了傳統史學觀點。他不僅認為今本《竹書紀年》是宋以後的偽書，並徹底否認其真實性，還論證說由朱右曾及王國維等後代學者從北宋之前的古籍引文中還原出來的古本《竹書紀年》，對商朝與西周的研究「可能」沒有多少史學價值。[1]吉德煒的結論是，即使我們可以精確地重建《竹書紀年》當初陪葬於魏襄王墓時的原貌，也只能代表公元前三世紀的人對一個五百年前就已結束的時期的認識。五年之後，倪德衛（David S. Nivison）在其西周年代學的複雜分析中認為，不僅《竹書紀年》大體上是研究中國古史及年代學的有價值史料，而且今本《竹書紀年》也或多或少是墓本內容的忠實再造，而墓本也或多或少忠實地保留了殷商、尤其是西周時期年代學的材料。[2]依據倪德衛的看法，今本《竹書紀年》保留了許多重建西周年代學所需要的原

---

[1]　David N. Keightley, "The *Bamboo Annals* and Shang-Chou Chronology," *Harvard Journal of Asiatic Studies* 38.2 (1978): 423-438。在頁423-424中，有關於朱右曾及王國維研究的討論。

[2]　David S. Nivison, "The Dates of Western Chou," *Harvard Journal of Asiatic Studies* 43.2 (1983): 481-580.

始資料；但這批資料經過至少八個階段的編輯過程。其中六次是在這份文獻於公元前三世紀初被陪葬入墓之前，而還有兩次則是在公元三世紀末期該書被挖掘出土之後。倪德衛相信，如果能復原在每個假設性階段加入的改動，最終就能獲得那一時期原本的編年史。

不用說，假如像今本《竹書紀年》這樣一個綜合性的商周年代體系在某種程度上是可以接受的，它將具有幾乎無可比擬的史學價值。（的確，只有司馬遷的《史記》與之有同等的重要性。）但我們對這一時期的瞭解真的足以評價此史料來源的真實性嗎？當然，倪德衛關於此史料真實性的各種論證有循環論證的嫌疑。為了證明《竹書紀年》經過多個階段的編輯，他的年代學首先必須是正確的；而在某種程度上來說，反之亦然。但像這樣以未知事物去證明另一未知事物，在方法上是不能成立的。吉德煒另一方面提出一個真實性文獻應該含有的幾種特點。當然其中最重要的是「紀年中事件、人物、文句的出現，不能以晚周時期的記述，而要以同時代的刻銘，確認其是否在歷史中存在。」[3] 顯然，由於他在古本《竹書紀年》中沒有找到這類「標準」，因此質疑原文的歷史性。

原文中足資證明的「試金石」

在顯然是吉德煒最關心的殷商部分，《竹書紀年》確實沒有這類試金石。這部分是由於編年史本身的特性：正如吉德煒已經提出並且我們可以從任何歷史文獻想見的那樣，歷史文獻的時間越早，其記載就越不詳盡。但部分原因也來自殷商卜辭的本質，在這上面鮮少提供關於人物姓名的資料，除了王朝紀年中不太會出現的受獻者名字之

3　David N. Keightley, "The *Bamboo Annals* and Shang-Chou Chronology," 437-438.

外；另外，尤其是在祖甲改革「新派」之後，就很少有個別事件的記載。然而，當時代晚至西周王朝時，由於金文的數量及其本質的關係，可以提供較多可資比較的證據，因此我們至少可以從中尋繹到兩個與「古本」《竹書紀年》相符的名字。譬如現在已經為人所周知的例子，《竹書紀年》記載厲王奔彘時由共伯和主政，亦即史稱「共和時期」的相關文字，這種說法就比《史記》所謂由召穆公及周定公「共處和平」的解釋合理。[4]雖然《竹書紀年》的這個說法的確已藉由西周金文證實，但由於《莊子》及《呂氏春秋》也間接提到「共伯」一名，[5]因此可能會有人反對說這還不是一個絕對的試金石。可能會有人同樣反對厲王時期虢仲與淮夷之間戰役的相關陳述。雖然這場戰役已由厲王時期的標準器虢仲盨證實無誤，但由於這場戰役也記載於《後漢書・東夷傳》中，並且對於這個時期的歷史記載沒有任何增添。[6]

但是，吉德煒因為在尋找這些試金石時，完全沒有考慮今本《竹書紀年》，所以忽略了那些完全不容置疑的試金石。「今本」《竹書紀年》不僅與「古本」一樣提到了「共和」及「虢仲」，此外至少還有兩則記載已被證實只見於金文之中。其中之一是「今本」《竹書紀年》裡一則關於宣王時期的詞條，在宣王五年特別記載了「尹吉甫帥師伐玁狁至于太原」。在吉父製作用以紀念的兮甲盤中，同樣記載了

4　關於古本《竹書紀年》中該詞條的說明，可參見范祥雍：《古本《竹書紀年》輯校訂補》（上海：上海人民出版社，1962年），頁30；關於《史記》的原文，參見《史記》（北京：中華書局，1959年），卷4，頁144。下文徵引自《史記》以及其他正史的原文，皆用中華書局版本。

5　關於師㲄簋，請參見白川靜：《金文通釋》，收入《白鶴美術館誌》（神戶：白鶴美術館，1962-1984年）。此器記載伯和自居為王；參見《莊子》（四部備要本），卷9，頁15b；《呂氏春秋》（四部備要本），卷14，頁16b。

6　參見范祥雍：《古本《竹書紀年》輯校訂補》，頁30；《後漢書》，卷85，頁2808。

伐玁狁之戰，當然此器當屬於宣王時期。[7]或許有人會提出異議，指出
《竹書紀年》中所記載的那一位吉甫，與《詩經・小雅・六月》率軍
對抗玁狁的那位吉甫有關，已廣為人知。但值得注意的是，兮甲盤銘
中所記錄的時日，正如「今本」《竹書紀年》詞條所載，同樣是「五
年」。[8]傳統記載中沒有提供任何說明解釋如此巧合之事。

　　然而更引人注目的，無疑是西周中期器的班簋可與「今本」《竹
書紀年》穆王時期互相比較。[9]班簋銘中記載了伐東國及三年後戰役勝
利成功之事，其銘文曰：

> 唯八月初吉在宗周甲戌，王令毛伯更虢城公服，屏王位，作四
> 方極，秉緐、蜀、巢令，賜鈴勒，咸。王令毛公以邦冢君、徒
> 馭、戕人伐東國瘠戎，咸。王令吳伯曰：以乃師左比毛父。王
> 令呂伯曰：以乃師右比毛父。趙令曰：以乃族從父征，徟城衛
> 父身，三年靜東國，亡不成，眈天威，否畀純陟。……班拜頴

7　在文獻中的「甫」字，在金文中通常寫作「父」。

8　雖然這場戰役的日期在「今本」《竹書紀年》中記為「六月」，而在「兮甲盤」中
　　則記為「三月」，但銘文中所提及的三月是命令戰役開始的時間。然而從銘文中可
　　以得知，這場戰役直到夏末時才結束；見白川靜《金文通釋》所引王國維之說。
　　因此，《竹書紀年》所記載之日期，當是指戰役結束的時間，其月份與銘文是一致
　　的。

9　參見W.A.C.H. Dobson, *Early Archaic Chinese* (Toronto: University of Toronto Press,
　　1962), 179-184。即使班簋曾經一度不知去向，但其銘文內容自清朝以來便已為人
　　所周知，然後於一九七二年時，在北京故宮博物館的青銅廢堆中又重新被人尋獲；
　　參見郭沫若：〈班簋的再發現〉，《文物》，1972年第9期，頁2。早期關於此銘文
　　的研究，皆將其年代定為成王（參見郭沫若：《兩周金文辭大系考釋》〔1935年初
　　版；北京：科學出版社，1956年重印〕，頁20；陳夢家：〈西周銅器斷代（二）〉，
　　《考古學報》，1955年第10期，頁70），但自唐蘭於一九六二年關於此銘的討論之
　　後（〈西周銅器斷代中的康宮問題〉，《考古學報》，1962年第1期，頁38），特別
　　是一九七二年此器被重新發現後，現今學者們都有一致的看法（雖然郭沫若拒絕改
　　變其最初的意見），皆將此器定為穆王時期。

首曰：……子子孫多世其永寶。

在銘文中有兩位人物值得注意，一位是此器的器主毛公班，另一位是銘文中名義上的指揮官，亦即毛公之子趙。討論此銘文的研究常指出毛班就是出現在「今本」《竹書紀年》穆王時期的毛公班，另一部據說出土自魏襄王墓中的典籍《穆天子傳》也提到了他。[10]

十二年，毛公班、共公利、逄公固帥師從王伐犬戎。

顯然，文中記載毛公伐的是周人西方的敵國犬戎，與班簋銘文中所謂「伐東國」不同。然而《竹書紀年》穆王三十五年及三十七年的兩則記載正好提到了東征的戰役。

三十五年，荊人入徐，毛伯遷帥師敗荊人于泲。
三十七年，伐楚，楚大起九師，東至于九江，比黿鼉以為梁，遂伐越至于紆。荊人來貢。

在其他歷史典籍中皆無記載的毛伯遷，傳注者皆認為是毛公班之子，[11]他也幾乎被認定是「班簋」銘文中作器者「班」的兒子「遷」。[12]不僅如此，這裡表示這場在東方的戰役持續三年之久，也與銘文的內容相符。這似乎即是吉德煒所尋求的標準，當然應該顯示「今本」《竹書紀年》並非眾人所謂的偽作。

即使能繼續循此脈絡研究「今本」《竹書紀年》中所記載的各個

---

[10] 《穆天子傳》（四部備要本），卷4，頁4a。

[11] 毛班與毛遷的父子關係為「今本」《竹書紀年》的傳注者所注意，參見雷學淇：《竹書紀年義證》（臺北：藝文印書館，1977年再版），卷22，頁166b；頁334。

[12] 雖然這項說法未曾有人特別注意，但毫無疑問的，表示「去、往」的「遷」字，與表示「送、往」的「趙／遣」字同源。班簋銘文中的遣，亦見於盂簋銘文，在彼則稱為「毛公趙仲」。

名字及事件，這個任務的難度也超出我所能負荷以及編輯所允許的篇幅，而且我們對於商代或西周時期的資訊有所限制，因此這個作法可說是完全不可行。[13] 此外，一針見血而徹底地分析單一的例子，時常比數以百計未消化（或對讀者來說不可能消化）的例子更具有啟發意義。因此，我寧可建議針對「今本」《竹書紀年》中，關於周武王崩逝之事加以仔細的檢驗；這是殷商及西周時期意義重大的事件，

---

[13] 眾所皆知，《竹書紀年》（包括「今本」及「古本」）中關於東周時期的年代記載，尤其是關於梁國（亦即魏國）及齊國的部分，比《史記》可靠；《竹書紀年》在這方面價值的研究，可參見楊寬的詳盡討論：《戰國史》（上海：上海人民出版社，1983年），頁585-592；亦可參見 D.C. Lau, *Mencius* (Harmondsworth: Penguin Books, 1970), 205-213; Jeffery K. Riegel, "Ju-tzu Hsi and the Genealogy of the House of Wei," *Early China* 3 (1977): 46-51。因為司馬遷沒有提出公元前八四二年以前的絕對年代，所以無法把《竹書紀年》所載年代與之比較，然而我們至少可以從「今本」《竹書紀年》中，摘引出西周時期相關的記述，並做出簡略的數字統計。將這些單獨的詞條分列於六大類之下：「王室任命、謁見與宗教活動」、「王室巡狩」、「軍事事務」、「卒亡啟事」、「農穫與氣象」、「超自然預兆」，分布結果如下：

時期	朝廷活動	王室巡狩	軍事事務	卒亡啟事	農穫與氣象	超自然預兆
武王 (12-17年)	5	2	2	1	1	0
成 王	21	11	9	2	2	2
康 王	5	2	0	5	0	1
昭 王	1	0	2	1	4	1
穆 王	10	7	7	4	0	0
恭 王	1	0	1	1	0	0
懿 王	0	1	3	1	2	0
孝 王	1	1	1	1	1	0
夷 王	1	1	2	2	1	0
厲 王	2	1	3	11	5	0
宣 王	9	1	11	22	1	3
幽 王	3	0	5	3	7	0
總 計	59	27	46	54	24	6

我認為王室朝廷活動、王室巡狩及軍事事務的分布，一般而言與西周銅器銘文中所得的狀況相符；而這六項分類的全部分布與其他紀年的內容，例如《春秋》中的紀年，也都能相符。

在《史記》乃至於先秦文獻中不時會提到，因而有著豐富材料以資比對。然而在檢驗「今本」《竹書紀年》之前，首先必須蒐羅在公元三世紀末以前，當這批竹簡被發現且由當時著名學者加以整理之前，所有文獻來源中述及武王崩逝的說法。最後我們再將焦點轉移至「今本」《竹書紀年》中對於此事件的敘述，我自認可以讓早期中國歷史的一份重要史料起死回生；埋葬它的不是一千七百年前的墓冢，而是「現代」過於刻板的反對肖像主義。

武王崩於克商後二年之說

商周歷史中最重要的矛盾說法之一，即是武王崩逝的日期。所有先秦及西漢時代史料皆以不同的方式暗示，武王自克商後到其崩逝之前只在位二年。此事最早載於今文《尚書》的〈金縢〉，雖然曾經是來源受到質疑的文獻，但著成的時間應不至晚過春秋時期，其文曰：

> 即克商二年，王有疾弗豫。

接著便是周公代表武王進行占卜的詳細描述，再來便簡單幾字交待武王崩逝，其文曰：

> 王翼日乃瘳。武王既喪……。

在這段文字中有兩個問題。首先，除了暗示武王有疾與崩逝兩事有因果關係之外，文中沒有明確地說明武王是否在克商第「二」年生病時，於同一年崩逝。第二，「既克商二年」一句是不夠明確的，可以解釋為「克商二年之後」，也可以解釋為「克商後的第二年」（亦即克商後一年）。

第一個問題，是否武王崩逝於克商後的第二年，在司馬遷的《史

記・封禪書》中有肯定的答案，其文曰：

> 武王克商二年，天下未能而崩。[14]

雖然這段記載對於「二年」的解釋仍是模稜兩可，但在〈周本紀〉中有一段直接取自《尚書・金縢》的文字，司馬遷補上一個介系詞「後」，確定應該讀成上文所說的第一種方式。〈周本紀〉曰：

> 武王克殷後二年……武王病。天下未集，群公懼，穆卜。周公乃祓齋，自為質，欲代武王。武王有瘳，後而崩。[15]

武王崩逝的日期在他克商之後兩年，亦即在新政權的第三年，這還可以從其他早期的文獻證實。《淮南子・要略》的完成較《史記》早了約一世代的時間，記載了武王時期之事，其文曰：

> 文王業之而不卒。武王繼文王之業，用太公之謀，悉索薄賦，躬擐甲胄，以伐無道而討不義，誓師牧野，以踐天子之位。天下位寧，海內未輯，武王欲昭文王之令德，使夷狄各以其賄來貢，遼遠未能至，故治三年之喪，殯武文王於兩楹之間以俟遠方。武王立三年而崩。[16]

關於武王崩逝之年，大約作成於戰國晚期的《管子・小問》則曰：

> 武王伐殷，克之，七年而崩。[17]

---

[14] 《史記》，卷28，頁1364。

[15] 《史記》，卷4，頁131。

[16] 《淮南子》（四部備要本），卷21，頁6a-b。

[17] 《管子》（四部備要本），卷16，頁10b。

雖然文中記載的時間是「七年」與〈金縢〉文中「二年」的說法一樣
模稜兩可，也似乎暗示武王在戰後在位超過其他史料記載的三年，但
只要和《史記》所記載克商之前的受命年數相比，就可以推出兩者是
一致的。而這個年數假定了武王在其父文王崩逝之後繼續文王受命的
年數，而不是以自己的紀元計算。

表3.1《史記》所載受命年數

受命之紀元	史　　　事	武王之紀元
1	文王宣布受命	
7	文王崩逝	
9	武王遇諸侯於孟津	2
11	開始克商戰役	4
12	克商	5
	武王崩逝	7

武王時期始於克商之前四年，其崩逝在克商之後的第三年，因此也可
以說是在他個人在位的第七年。

　　另一篇戰國時代的文獻《逸周書·作雒》，也提供支持此說的證
據，其文曰：

> 武王克殷乃立王子祿父俾守商祀。建管叔于東，建蔡侯、霍叔
> 于殷，俾監殷民。武王既歸，乃歲十二月崩鎬，祭予岐周。[18]

這段文字也可以有多種解釋，最常見的是指武王在克商後一年隨即崩

---

[18] 《逸周書》（叢書集成本），卷5，頁134-135。

逝，甚至可以解釋為在克商當年崩逝。[19]這樣的解釋必須將武王崩逝之年與克商之年直接關聯在一起。但它忽略了這裡對武王任命其兄弟管叔、蔡叔、霍叔以監視前商領地的記載。《逸周書》中同一時期的另外兩篇明確地指出任命之年為「十三年」。[20]〈大匡〉開頭便記曰：

> 惟十有三祀，王在管，管叔自作殷之監；東隅之侯咸受賜于王。[21]

在〈文政〉開頭則與之相類似，其文曰：

> 惟十有三祀，王在管。管、蔡開宗循。[22]

一旦將此十三年發生的史事認作〈作雒〉中「武王既歸，乃歲十二月既崩」一說的直接對應，就能發現這段文字實際上將武王的崩逝日期定為十四年的十二月。既然《史記》記載克商在十二年，〈作雒〉便能符合其他早期文獻所謂武王崩逝於克商之後二年的說法。

武王崩於克商後六年之說

除了這些具有公認歷史價值的作品中，意見一致的看法外，所有漢朝以後的傳統年代學研究都認為武王於克商之後在位六年。此說的

---

[19] 在孔晁（活躍於266年）的標準傳注中，具體地將此件史事解釋為克商後一年。而顧頡剛：〈武王的死及其年歲和紀元〉，《文史》第2輯（北京：中華書局，1983年）以及 Nivison: "The Dates of Western Chou," 534，則都爭辯它應指武王克商之年。

[20] 關於《逸周書》的成書歷史，參見本書頁78-79。以上所舉《逸周書》三篇皆屬於孔晁傳本。

[21] 參見《逸周書》，卷4，頁95。

[22] 參見《逸周書》，卷4，頁99。

最早出處是《逸周書・明堂》，其文曰：

> 周公相武王以伐紂，夷定天下。既克紂六年而武王崩。[23]

雖然這段文字並沒有解釋上的歧義，然而文獻本身的年代卻仍有大量問題。上文已經指出同書的〈作雒〉著於戰國中期，這正好是《逸周書》原本得到編訂的時代。[24] 傳統上認為《逸周書》與出土《竹書紀年》的魏襄王墓有關，而此聯繫見於早至《隋書・經籍志》[25] 的文獻，是《逸周書》較早的成書年份的證據。但近年來對《逸周書》性質及文獻傳世的研究，皆已證實它不可能源於魏襄王墓。

首先，《逸周書》是以《周書》之名而傳世的完整文獻；該書從襄王於公元前二九六年下葬，到公元二八〇年重開墓門為止，已為人所周知長達近六個世紀。不僅在《漢書・藝文志》中載有此書，在公元前三世紀的作品《韓非子》、《戰國策》、《呂氏春秋》，漢朝著作如《史記》、《說文解字》，以及鄭玄（127-200）的《儀禮注》和《周禮注》，書中都曾引用該書書名。[26] 更重要的是孔晁（活躍於266年）所撰之注釋，是在公元三世紀中葉、比公元二八〇年魏襄王墓被盜掘還要早的一個時間，被增入《逸周書》中。[27]《逸周書》現今仍傳

---

23 《逸周書》，卷6，頁215。

24 關於《逸周書》成書的年代及性質問題，參見黃沛榮：《周書研究》（臺北：臺灣大學中國文學系博士論文，1976年），頁141-236。

25 《隋書》，卷33，頁959。

26 《漢書》，卷30，頁1705。《韓非子》（四部備要本），卷17，頁1b-2a。《戰國策》（四部備要本），卷3，頁11a；卷22，頁1a。《呂氏春秋》（四部備要本），卷19，頁14a。《史記》，卷112，頁2956。《說文解字段注》（四部備要本），卷1A，頁11b；卷4A，頁13b等；（以《逸周書》之名引用者）。《儀禮鄭注》（四部備要本），卷5，頁50a。《周禮鄭注》（四部備要本），卷37，頁10b。以上亦可參見黃沛榮：《周書研究》，頁46-47。

27 雖然無法準確得知孔晁傳注完成的年份，但與孔晁同時的是卒於二五六年、享年

世的共有五十九篇，其中有四十二篇是由孔晁所注；重要的是，所有漢朝以及漢朝以前文獻中，引用《逸周書》文句者，皆出自此孔晁作注的部分。

第二，汲冢竹書發現後，當時著錄中謂竹書共七十五篇，然而所提及《周書》僅僅是四個書名的其中一個，總共十九篇的「雜書」。[28] 再者，這篇《周書》或許即是李善（卒於689）注《文選》時兩度徵引的《古文周書》。[29] 這兩段相當長的文字都是關於周穆王的神話性質敘述，其形式與內容上都與《穆天子傳》相近似，與目前所見《逸周書》中的內容大不相同。

儘管以上所說顯示現傳《逸周書》並不出自魏襄王墓，然而根據早期正史書目的記載，該書卻很早就與汲冢的下葬聯繫在一起，並且這一觀點延續了很久。《逸周書》最早的目錄學評述載於《漢書·藝文志》中，劉向（公元前79-8年）所見《周書》為七十一篇，之後的《隋書·經籍志》是第一個以「卷」計算《周書》，並且說明此文獻來自於汲冢——即魏襄王所葬之處，在漢朝時屬於汲郡。另一方面，《舊唐書·經籍志》中記《周書》為八卷，並註明此為孔晁傳注本。[30] 這些詞條在《新唐書·藝文志》中分列為《汲冢周書》十卷、

六十八歲的王肅，而孔晁最後在文獻中被提及是在二六六年時受皇帝之邀。整理汲冢墓中出土竹簡的學者名單中未有其名，可以證實他必然在十五年後汲冢被發現之前即已卒逝。參見黃沛榮：《周書研究》，頁59-62。

28　關於汲冢出土的詳細篇目見於《晉書·束皙傳》（卷51，頁1432-1433），其中雜書的部分為《周食田法》、《周書》、《論楚事》、《周穆王美人盛姬死事》。

29　《文選》（四部備要本），卷14，頁4b；卷15，頁4a。我們藉著一段引文以了解這篇文獻的本質，其文曰：「穆王田，有黑鳥若鳩，翩飛而跱於衡。御者斃之以策，馬佚不克止之，躓於乘，傷帝左股。」

30　《舊唐書》，卷46，頁1993。

《孔晁注周書》八卷。[31]最後，在《宋史・藝文志》中，[32]則只剩《汲冢周書》十卷一條。除了這些目錄學方面的詞條外，兩位初唐的學者曾提及《逸周書》的文本歷史。顏師古（581-645）在為《漢書・藝文志》作注時，注意到《逸周書》原本的七十一篇，在唐朝時只剩四十五篇。[33]然而大約在此同時，劉知幾（661-721）在他的《史通》中明確地提及，《逸周書》全本七十一篇仍然傳世。[34]將這些說法和書目中（特別是《新唐書》）所出現相互矛盾的情形合併來看，顯示在唐朝時《逸周書》已經分為兩種子本，一種是孔晁的八卷本，另一種是來自以《竹書紀年》聞名的汲冢十卷本。這兩種文獻的同化必然產生於北宋時代。我們可以假設，現存五十九篇本有孔晁注的四十二篇，是源自孔晁所舊傳。同樣地，這也可以合理推斷，五十九篇本中其他沒有孔晁注的部分，應該是源自與汲冢有關的另一個傳本。

現在將焦點轉移到〈明堂〉，我相信可以藉此得到一些《逸周書》汲冢傳本起源的訊息。首先要注意的是，〈明堂〉是現傳未有孔晁傳注的十七篇之一，這表示該篇在三世紀中業時並未出現，所以應該是出自於「汲冢」傳本。然而同樣重要的是，該篇又明顯仿傚《禮記・明堂位》，這表示其著成年代並不早於東漢，[35]當然也不會早於魏

---

[31] 《新唐書》，卷58，頁1463。

[32] 《宋史》，卷203，頁5094。

[33] 《漢書》，卷30，頁1706，註3。

[34] 劉知幾：《史通通釋・六甲》（四部備要本），卷1，頁2a（微引自黃沛榮：《周書研究》，頁35）。

[35] 關於《禮記》的著成時代，參見Jeffrey K. Riegel, "The Four 'Tzu Ssu' Chapters of the *Li Chi*: An Analysis and Translation of the *Fang Chi, Chung Yung, Piao Chi*, and *Tzu I*," (Ph.D. dissertation, Stanford University, 1978)，特別是頁2-43。由於兩種文獻之間的派生關係，這使得兩篇中的任何一篇都可能為另一篇的原型。然而在這個例子中，由於《逸周書》的「汲冢」傳本似乎在漢朝時完全不見流通，因此《禮記・明堂位》的編纂者沒有多大可能能夠參考《逸周書・明堂》。

襄王下葬的公元前二九六年之前。一方面，假如我們的看法正確，將
此篇與汲冢書相聯繫；另一方面，又拒絕接受其為戰國墓地的考古發
現，我想我們只有被迫作出一項結論，〈明堂〉或者說是全部的「汲
冢」傳本，必然出現於魏襄王墓被發現時，可能出自整理《竹書紀
年》和其他出土文獻的學者之手。

　　雖然〈明堂〉中陳述武王在克商之後「六年」崩逝，這個看法無
疑是從偽作而來，然而這並非毫無前例。事實上，這也表現出公元三
世紀末時，學者們的一致觀點。這個共識的源頭即是劉歆（公元前
46-公元23）的年代學研究，他的研究成果現在幾乎被一致認為是有
問題的，但卻為多數傳統的歷史學家接受。特別是針對武王崩逝的問
題，劉氏將《大戴禮記》中文王十五歲時即生下武王的說法，與《小
戴禮記》中文王卒年九十七歲、武王卒年九十三歲的說法相結合。[36]
基於此二說，劉氏又結合其他關於克商後幾年相關的史事，做出武王
崩逝於克商後七年的結論。劉歆云：

> 文王十五而生武王，受命九年而崩。崩後四年而武王克殷，克
> 殷之歲八十六矣。後七歲而崩，故《禮記·文王世子》曰：
> 「文王九十七而終，武王九十三而終。」凡武王即位十一年。[37]

這段史事的重建，早已被現代學者一致而且相當正確地批評。不僅
《禮記》中所記載文王及武王的卒年，令人懷疑其歷史的真實性；[38]即

---

[36] 《大戴禮記》之說引自《尚書正義》（四部備要本），卷11，頁1a；《禮記正義》，
卷20，頁2a；參見顧頡剛：〈武王的死及其年歲和紀元〉，頁3-4。

[37] 《漢書》，卷21B，頁1016。

[38] 文王在他十三歲時生下他的長子伯邑考，而武王在他八十歲時仍可以產子（請注意
武王的長子成王，在武王崩逝時仍然過於年輕，無法承擔王權重責；除了成王之
外，武王至少還有一位兒子唐叔虞），這些都是在生理上不可能的事。除此之外，
《逸周書·度邑》（此篇是汲冢的傳本之一）記載了武王在克商不久後的一段話：

使這個說法可以為人所接受，劉歆自己的解釋也充滿了內在的矛盾。
假如文王真的在十五歲時生下武王，文王則比武王大十四歲。當文王
在九十七歲崩逝時，武王已經八十三歲了。之後武王克商在四年之
後，此時他已八十七歲，並非劉歆所言的八十六歲。這也就是說，武
王克商之後在位的時間為六年，而不是七年。像顧頡剛及倪德衛這樣
的學者近來已對這個內在矛盾作了許多的解說，[39]但其來源可能僅僅
是劉歆試圖將此傳統與至少一處早期史料中關於武王卒年的記載調和
起來。在這問題上，他毫無疑問地選擇了《管子》，因為書中也似乎
記載指出在克商之後七年崩逝。

　　顧氏和倪德衛並不是第一個注意到劉歆在武王崩逝年代上有內在
矛盾的人。早在三世紀中葉時，王肅（189-256）已經糾正劉歆的計
算錯誤，成為有史以來第一位對此問題提出修正並留下紀錄的學者；
儘管過程有些迂迴，但確定了武王崩於克商六年的說法。王肅曰：

> 文王十五而生武王，九十七而終，時受命九年，武王八十三
> 矣。十三年伐紂，明年有疾，時年八十八矣。九十三而崩。[40]

王肅對西周年代學的混亂添入了以上的看法，不久之後，另一位著名
的中國古史集大成者皇甫謐（215-282），也承認武王在克商之後六年
崩逝的說法，其曰：

> 武王二年觀兵至孟津之上。四年始伐紂，為天子。……十年

「嗚呼！旦，惟天不享於殷，發之未生，至于今六十年。」這與《竹書紀年》（「今
　　本」、「古本」皆然）謂武王卒年五十四的記載相符。
[39]　顧頡剛：〈武王的死及其年歲和紀元〉，頁15；Nivison, "The Dates of Western
　　Chou," 545-546。
[40]　引自《尚書正義》，卷15，頁8b；參見顧頡剛：〈武王的死及其年歲和紀元〉，頁6。

冬，王崩於鎬。[41]

總而言之，劉歆在其年代學體系中首先提出不無可疑的武王崩於克商後六年，之後約兩個世紀，這個說法被公元三世紀時的兩位最偉大的史學家王肅及皇甫謐所接受，並成為其後繼者視為早已確信的事實。因此，當《逸周書·明堂》這篇我們認為在皇甫謐卒亡（亦即282年）同時或稍後成書的文獻，清楚地陳述云：「既克紂六年而武王崩」，這不可能是個巧合。同樣地，這個傳統的說法也出現在當時才被發掘及整理的《竹書紀年》中，因此也不可能是個巧合。我們馬上就要轉而討論這個整理過程。它確鑿無疑地表明「今本」《竹書紀年》至少在武王崩逝這段紀錄上完全忠實地自公元三世紀傳播至今。

「今本」《竹書紀年》對於武王崩逝的記述

對「今本」《竹書紀年》真實性感到懷疑的學者，將不會對該書目前關於武王於克商六年後崩逝的記載感到驚訝。在「今本」《竹書紀年》中，克商之役的詞條記載於武王十二年之下，基本符合《史記》和大多可信的歷史記載；[42] 而記載武王崩逝的詞條，則記載於武王十七年之下。這個時間不僅不符合武王於克商後二年崩逝的真實記載，而且需要注意它也與公元三世紀時提出武王於克商後六年，亦即克商後第七年崩逝的說法稍有不同。這種不一致使得我們必須更小心地檢視《竹書紀年》的原文。當我們著手檢視後，得知不一致的原因

---

41 皇甫謐：《帝王世紀》（叢書集成本），頁31。

42 必須注意的是，在「今本」《竹書紀年》中的「十二年」，是以武王個人在位的時
    間計算，然而在《史記》及其他早期文獻中，則是從文王「受命」開始，將文王及
    武王在位的年數一起計算。關於這兩者之間差異的重要性，可參見註58中的說明。

在於成王時期的一條竹簡錯置於武王時期之中。

　　我們討論的竹簡內容包括十五年與十六年的詞條內容，以及十七年紀年的開頭的部分，總共有四十個字的空間（包括兩個空隔在內）。這正好是負責整理汲冢出土文獻學者之一的荀勖（卒於289）所描述，最初《竹書紀年》在一根竹簡上所含的字數。荀勖云：

> 皆竹簡素絲編。以臣勖考定，古尺度其簡長二尺四寸，以墨書，一簡四十字。[43]

以下將緊連該簡前後的詞條內容排列如下（參見圖3.1的示意圖，亦即此段文字在竹簡上應有的面貌）：

武王十四年紀年

最初武王詞條內容	錯簡的簡文內容
十四年王有疾周文公禱于壇墠作〈金縢〉	
	十五年肅慎氏來賓初狩方岳誥于沬邑冬遷久鼎于洛　十六年箕子來朝秋王師滅蒲姑　十七年
命王世子誦于東宮冬十有二月王陟年五十四	

　　我們注意到，根據〈金縢〉記載，武王有疾及周公作〈金縢〉之事發生於克商後二年，而此處《竹書紀年》所云的十四年正好是十二年克商記載後兩年。這也再度確認，上文所提關於《尚書·金縢》「即克

---

[43] 《穆天子傳·序》，頁1a。

商二年，王有疾弗豫」的第一種解釋是正確的。但誠如上文所言，《尚書・金縢》所暗示以及《史記・封禪書》所明確表明的，都是武王崩逝於同一年。這說明武王有疾的記載後面應該緊跟著武王崩逝的記載，而《竹書紀年》卻在中間插入了一支竹簡。因此將這支記載十五、十六及十七年的竹簡移開之後，記載武王崩逝的文字即成為十四年詞條下相當長的記載的一部分。將簡文作這樣的復原，不僅可將武王有疾與崩逝合為同一年；但更重要的是，如此一來便可以符合先秦時期武王崩於克商後二年的可靠說法。

　　儘管以上的意見已能讓我們聯想許多，然而只有在我們轉向成王紀年時，關於這根錯簡的看法才毫無餘地地被證明。成王在位頭十八年間每年之下皆有詞條，祇有十五、十六及十七年是明顯的例外——剛好也是我們認為是錯簡的那幾個年份。這種情況不可能只是巧合而已。然而除了這個消極證據之外，至少還有兩條決定性的積極證據足以證明這支簡應該置於成王時期的這個空缺。

　　第一，該簡四十字中，記載於十五年下的「誥于沬邑」一句，皆被傳注者解釋為《尚書・酒誥》中的「妹邦」，也是〈酒誥〉所載之事的背景。[44] 眾所周知，自宋朝以來，有大量關於〈酒誥〉究竟是武王所作還是周公代替成王而作的爭論，就像《尚書・康誥》一樣。在這裡我們不打算細論此問題。在沒有強有力的歷史反證的情況下（相對於宋代道學擁護者據哲學觀點視其為武王所作而言），因為《左傳・定公四年》、《書序》、《史記》和其他宋朝以前的文獻皆認為是成王所作，我認為這已經足以將其定為成王所作。[45] 假使「誥于沬邑」

44　雷學淇：《竹書紀年義證》，卷17，頁121a-b；頁244。

45　理雅各（James Legge）文中有簡明及完整的觀點，參見 James Legge, *The Chinese Classics: The Shoo King, or the Book of Historical Documents*, vol. 3 (1883; reprinted Hong Kong: Hong Kong University Press, 1960), 381-383。

果真是〈酒誥〉文中的「妹邦」，那麼不用說，至少這段文字中的這一句不該屬於武王紀年。

第二，四十字中的「冬遷九鼎于洛」，與武王時期的史事不符。從《尚書·召誥》及〈洛誥〉可知，在周公攝政七年之前，洛邑城址尚未卜選，《竹書紀年》將此事也記於該年之下。因此武王不可能將九鼎遷於尚未建立的洛邑。而當我們查核成王十八年的記事時，發現與此相關的文字。該年之下記曰：「春正月王如洛邑定鼎。」「定」字的用法與一系列相關的字詞，如「鼎」、「正」、「貞」等，皆是指以宗教的儀式置「鼎」。[46]如果遷鼎事件發生於武王年間，那麼舉行「定鼎」儀式之前就會有二十多年的時間。但若正確地將此句置於成王十五年之下，定鼎就會在遷鼎之後兩年，這樣事件的發生順序是更有可能的。

從成王於十八年正月定鼎於洛邑的記載中，也可知其在位這一期間的紀年內容是不完整的。按照現存《竹書紀年》的構造，成王十四年詞條的最後記載是「冬洛邑告成」。如果說，周人在洛邑告成後一年才將九鼎遷於彼處，之後又經過兩年之時間才舉行「定鼎」的儀式，這雖然不是不可能，但機率不大。我認為，這條現在置於成王十四年冬的文字，原本應該置於記載成王十八年舉行定鼎儀式的竹簡最上端才是。依此，則該句可以上接錯簡竹簡的第三十八、三十九及四十字，亦即「十七年」三字（參見圖3.1、3.2關於竹簡的重新排序）。[47]如此則進一步澄清了與洛邑告成相關的史事順序。之前，在成

---

[46] 關於這一個同源詞組的說明，參見Ken-ichi Takashima, "Some Philological Notes to Shang History," *Early China* 5 (1979-1980): 55。

[47] 雖然這段有四十字的文字是如此精確地被傳承，但更值得一提的是，假設在「今本」《竹書紀年》中成王時期的內容，去除後來加入的紀年干支（參見圖3.3，頁87），以每簡四十個字的方式重新排序，則第十簡的最後幾字為「十四年齊師圍曲城克之」，正好就符合那根錯簡所預測的情形（可與圖3.2成王時期的第一簡作比較）。感謝倪德衛提醒我這一點。

圖3.1　重新排序後的
武王十四年紀年

圖3.2　重新排序後的
成王十三至十八年紀年

第二簡　　簡　錯　　第一簡　　　　第二簡　　簡　錯　　第一簡

圖3.1

第二簡：命王世子誦于東宮冬十有二月王陟年五十四

簡錯：十五年肅慎氏來賓初狩方岳誥于沬邑冬遷九鼎于洛　十六年箕子來朝秋王師滅蒲姑　十七年

第一簡：十四年王有疾周文公禱于壇墠作金縢

圖3.2

第二簡：冬洛邑告成　十八年初春正月王如洛邑定鼎鳳凰見遂有事于河

簡錯：十五年肅慎氏來賓初狩方岳誥于沬邑冬遷九鼎于洛　十六年箕子來朝秋王師滅蒲姑　十七年

第一簡：十三年王師會齊侯魯侯伐戎夏六月魯大禘于周公廟　十四年齊師圍曲城克之

圖3.3 重新排序後的成王一至十四年紀年

元年春正月王即位命冢宰周文公總百官庚午周公誥諸侯于皇門夏六月葬武王于畢秋王加元服

武庚以殷叛周文公出居于東 二年奄人徐人及淮夷入于邶以叛秋大雷電以風王逆周文公于郊

遂伐殷 三年王師滅殷殺武庚祿父遷殷民于衛遂伐奄滅蒲姑 四年春正月初朝于廟夏四月初

嘗麥王師伐淮夷遂入奄 五年春正月王在奄遷其君于蒲姑夏五月王至自奄遷殷民于洛邑遂營

成周 六年大蒐于岐陽 七年周公復政于王春二月王如豐三月召康公如洛度邑甲子周公誥

多士于成周遂城東都王如東都諸侯來朝多王歸自東都立高圉廟 八年春正月王初荅阼親政命

魯侯禽父齊侯伋遷庶殷于魯作象舞十月王師滅唐遷其民于杜 九年春正月有事于太廟初用

勻肅慎氏來朝王使榮伯錫肅慎氏命 十年王命唐叔虞為侯越裳氏來朝周文公出居于豐 十一

年春正月王如豐唐叔虞嘉禾王命唐叔歸禾于周文公王命周平公治東都 十二年王師燕師城韓

王錫韓侯命 十三年王師會齊侯魯侯伐戎夏六月魯大禘于周公廟 十四年齊師圍曲城克之

王十一年時，周公之子伯禽曾受命治東都。在十五年冬季即將大功告
成時，九鼎被遷於彼處。再經過兩年的工期，洛邑終於在十七年的冬
季竣工。大約一個月後，成王親自東臨新邑獻祭。如此將洛邑告成及
成王的獻祭繫聯在一起，這個校訂的結果似乎較現今遷鼎、定鼎間隔
三年的安排更為合理。

以上兩點論證，對我而言皆是這段文字相當一部分本屬於成王時
期的鐵證。我們可能會問這一段裡的其他內容是否跟成王時期有關。
儘管這樣的聯繫不那麼絕對，但逐一考慮之後，我們也會發現將其置
於成王而非武王年間更加合適。

四十字的開頭第一句是「肅慎氏來賓」。而在成王九年的紀年
中，也有一則類似的詞條，其云：

　　肅慎氏來朝，王使榮伯錫肅慎氏命。

雖然我們可以設想肅慎氏於武王十五年時來賓，並且兩次來訪十二年
的間隔處於一個人的活躍生涯之中，但我還是認為這兩則詞條措辭的
差別表明了成王九年的來朝應該在前。所謂的措辭差別，並不是指
「來朝」和「來賓」（這兩個詞語肯定也很重要，但它們的重要性我
無法解釋），而是成王九年中的「錫肅慎氏命」。這個記載應該是一
君王在某一個獨立邦國第一次宣誓加入盟約時，所做出的回應。另一
方面，十五年的記載只是粗略提到「肅慎氏來賓」，似乎說明同盟的
關係已經存在。

關於四十字中的第二句「初狩方岳」，至少有兩點理由證明將該
句置於成王時期較置於武王時期合適。第一，在武王十二年克商戰
役結束後的史事中，「今本」《竹書紀年》記載武王於四月時「歸于
豐，饗于太廟，命監殷，遂狩于管。」儘管可能會有人反對說此處狀
語「初」指的僅僅是在「方岳」的狩獵，但毫無疑問，這不是武王的

首次出獵。然而相較之下，如果我們檢視成王時期前十四年的記載
（此段記載的完整是值得大書特書的），會發現在成王十五年以前，
未曾記錄有關遠行狩獵之事。直到成王十九年時才記云：「王巡狩侯
甸方岳」，但重要的是這並非成王的「初」狩。第二個理由或許更有
說服力。傳統解釋皆認為此條記載指的是天子於泰山行「封禪」之
禮，而「狩」字則解釋為「巡狩」，[48]這或許確實是最終編定《竹書紀
年》的戰國史家的意圖。值得注意的是，在《史記‧封禪書》中，司
馬遷明確提到武王在崩逝之前未曾有機會舉行封禪之禮。另一方面，
他也提到封禪始於成王時期。[49]因此無論「狩」字被解釋為上古漢語
的「狩獵」還是古漢語的「巡狩」，都沒有理由認為其與武王有關，
而應該與成王有關。

　　十五年詞條中的「誥于沬邑」及「冬遷九鼎於洛」已於上文說
明，接下來是十六年詞條中的「箕子來朝」一句。從《尚書‧洪範》
中可以得知，箕子的確於武王時來朝，之後便自願流亡於現今的韓
國。這肯定確證了公元三世紀末時參與竹簡整理的經學家們認為此簡
屬於武王時期的信念。畢竟箕子在朝於武王後前往現今的韓國，怎麼
可能在如此短的時間內又再度來朝成王？但是在〈洪範〉中的確記載
箕子朝見武王為十三年之時，這一點《史記‧周本紀》及其他典籍也
可以加以證實。[50]假如我們對這些傳世文獻的記載沒有懷疑，就難以
想像箕子可以在短短的三年內往返周都及韓國兩次以朝見武王。至於
他是否會在十七年後朝見成王，我們只能猜測了。但如果我們對於這
些詞條中的年份記載哪怕只有一點信任，這則十六年箕子來朝的記載

48　雷學淇：《竹書紀年義證》，卷17，頁121b；頁243-244。

49　《史記》，卷28，頁1364。在《白虎通》中也曾明確地記載，封禪是於成王時舉
　　行。參見該書（叢書集成本），卷3A，頁153。

50　《史記》，卷4，頁131。

放在成王時期至少都和武王時期一樣合適。

　　四十字中的最後一句是十六年的「秋王師滅蒲姑」，似乎也較適合置於成王時期。正如「肅慎氏來賓」的例子一樣，在成王紀年中的別處也可以找到類似伐蒲姑的詞條。在成王三年（實際上應該說是周公攝政三年），除了記載平定殷商後裔武庚的叛亂之外，也記載「王師……伐奄滅蒲姑」。雖然兩則記載中的「滅」字有徹底摧毀這個邦國的意思，但它出現在兩個分開的條目中，因此邏輯上需要不那麼嚴重的解釋。不管這些詞條的順序如何都是一樣。然而承認這一點之後，我想指出根據現今《竹書紀年》的次序，蒲姑在五年之內被「滅」了兩次。雖然這並不是不可能，但卻不太合理。此外，成王十三年記云「王師會齊侯魯侯伐戎」似乎也與這個十六年滅蒲姑一事有關，因為蒲姑是齊國境內的一個小國。

「今本」《竹書紀年》錯簡的理由

　　或許有人會問，既然這些詞條皆與成王有關，並且現今《竹書紀年》在成王紀年中明顯缺乏一根簡，那又為什麼會出現錯簡？整理這批竹簡的傑出學者們——有可能也包括了《左傳》最著名的傳注者杜預（222-284）在內——肯定理解關於作「酒誥」的間接提示，而在他們眼中此事無疑發生於成王時期。[51]當然，「箕子來朝」一句必然加深他們將此簡歸於武王的決定。但造成錯簡的真正原因是關於西周年代學的兩項傳統說法。第一項是武王在克商後六年崩逝的說法。在上文中我們已詳細地說明，在公元三世紀末，這種看法已被接受成為定

---

[51] 在杜預的〈左傳後序〉中，杜預提到了當時發現的《竹書紀年》。請注意《左傳》中所記載對康侯發布命令的一段文字，與《尚書·康誥》及〈酒誥〉中所敘述的是同一事，皆屬於成王時期；參見上文頁83，註44、45。

論。負責整理《竹書紀年》的語文學家與史學家們肯定會採用任何方式解釋新材料，使之與被廣泛接受的年代系統相符合。湊巧的是，在武王十四年的紀年中，首先記載了武王有疾，之後不久便崩逝；而這兩條詞條則分別記錄在不同的竹簡上，兩者皆可以單獨地被閱讀。然而更湊巧的是，另一支竹簡記載十五、十六年的內容以及「十七年」三字，其中提到的人物和事件似乎也和武王時期有關。當該簡插入記載武王有疾與崩逝的兩支竹簡之間時，武王崩逝之年則由原本的十四年變成了十七年；如此，則武王是於克商後的第六年崩逝。雖然如此處理這幾支竹簡，與傳統謂武王於克商後六年的說法並不完全一致，但漢語中的數詞既可以讀為基數詞也可以讀為序數詞。這已經足以滿足《竹書紀年》編者的需要。

這項公元三世紀時的年代學傳統有足夠力量，使得它成為學者將竹簡從成王年間錯置於武王年間的理由。當他們發現這一安排恰好與另一個西周年代學的流行說法吻合時，肯定更加堅信整理工作的準確性：西周的第五代天子穆王即位之時，恰好是西周開國一百年。這種說法初見於今文《尚書·呂刑》（可能成書於戰國時代），王充（27-97）的《論衡》中也提到了它。[52] 在公元三世紀中葉，這一說法所暗示的意義，對於一個按王編排的西周紀年來說，肯定已經為人所注意並重視。

早在東漢初年，劉歆就已明確指出從西周第四代統治者昭王開始，每位天子的在位時間沒有留下任何的記載。[53] 雖然如此，在公元三世紀中下旬時，皇甫謐引用一項說法，謂昭王在位有五十一年之久。[54] 雖然我們無法具體知道此說源自何人或何處，而且皇甫謐本人

---

[52] 《論衡》（四部備要本），卷1，頁12b。

[53] 《漢書》，卷21B，頁1017。

[54] 皇甫謐：《帝王世紀》，頁32。

也不清楚，但我們可以說明此說是如何推演出來的。《史記》中的三則記載——武王崩於克商後二年，武王崩後由周公攝政七年，以及成王與第三代天子康王共有四十年的安寧[55]——一定被理解作這兩個王在位時間的總和，亦即自克商至昭王繼位共計四十九年。然後，為了證實穆王即位於西周開國後一百年的說法，學者們運用了簡單的減法運算，由一百年減去四十九年，得到昭王在位五十一年的結果。

表3.2　昭王在位五十一年舊說

在位天子	在位年數
開國至穆王即位之初	100
武王克商後在位時期	-2
周公攝政時期	-7
成王、康王天下安寧時期	-40
昭王在位時期	51

儘管皇甫謐接受了昭王在位五十一年的這個說法，但是因為他不接受《史記》關於武王崩逝之年的看法，所以在他的《帝王世紀》中必須針對這個時期提出完全不同的年代學見解。基於昭王在位五十一年及其所信奉的武王克商後在位六年（如果將克商該年計算在內則為七年）的說法，皇甫謐加上了傳統看法裡康王的在位年份二十六年，以此解釋自西周開國至穆王即位的八十三或八十四年。為了證實一百年的說法，他必須將成王在位的年數減為十六年，這其中包括了周公攝政的七年在內。

---

[55] 《史記》，卷4，頁134。

表3.3 皇甫謐的一百年年代分配

在位天子	在位年數
武王克商後在位時期	6/7
成王在位時期（包括七年攝政）	16
康王在位時期	26
昭王在位時期	51
自克商開國至穆王即位	99/100

這些史事中的數字扭曲，說明穆王元年在周開國後一百年這個傳說始於公元三世紀之時多麼受史學家重視。

在皇甫謐撰作《帝王世紀》稍後不久，便發現了《竹書紀年》；然而在後者昭王十九年的詞條中，記載了昭王於南征楚國時崩逝，而此事件，可以附帶提到，也幾乎可以被昭王時期的青銅銘文所證實，[56]並立即顯示出昭王在位五十一年的說法沒有事實根據。儘管如此，文獻的編者也不願意去否定百年之說，因為這已經成為這個時代所認定的事實。除了記載昭王在位十九年之外，這批新出土的地下材料也證實歷代以來所確信成王在位三十七年的說法（包括周公攝政的七年在內），和康王在位則為二十六年的說法。將這些數字聚合在一起，可知西周開國至穆王即位之前已有八十二年。因此這項說法就需要成王繼位之前必須有十七年（將穆王元年計算在內）或十八年（將此年不計算在內）的時間。武王如果死於十四年，這個傳說就無法證

---

56 目前有一定數量的金文記載了昭王時期的時日，也提及關於昭王伐楚之事。其中之一稱為作冊𡨢卣（但必須注意的是，白川靜《金文通釋》錯誤地將該定為成王時器），銘文中記載「十九年」三字，至少證實了昭王於該年伐楚。

實。[57]但是既然他們在錯置竹簡後相信《竹書紀年》記載的是武王崩於在位第十七年，只要將西周開國重新解釋為武王即位之時，並將穆王元年計算在內，就能準確證實一百年的說法。

表3.4 「今本」《竹書紀年》一百年年代分配

在位天子	在位年數
武王全部在位時期	17
成王在位時期（包括七年攝政）	37
康王在位時期	26
昭王在位時期	19
自武王即位之初至穆王即位	99/100

雖然結合武王、成王、康王和昭王在位年數只有九十九年而已，但再次的，由於古漢語數字在基數和序數上的模稜兩可，因此實際上也等於是一百年的時間。由於「今本」《竹書紀年》穆王元年之下有注云「自武王至穆王享國百年」[58]，我們可以確定文獻整理者心中的確是這

---

57 假設這十四年是如《史記》及其他早期文獻中所解釋，從受「天命」之時開始算起，此處所說依然正確；請參見註58。

58 在此有必要再補充說明關於編纂《竹書紀年》時，謂西周開國至穆王即位享國百年之說所扮演的角色。《晉書‧束皙傳》（卷51，頁1432）中曾述及《竹書紀年》的這個看法，但與其從武王即位之初開始計算百年，如同「今本」《竹書紀年》那樣，《晉書》卻說「自周受命至穆王百年」。一方面，這證明「今本」《竹書紀年》將武王崩逝之年訂為武王在位的第十七年，必然是公元四世紀時整理之後的結果。但另一方面，這也表示當時有兩種不同的整理本流傳於世，其中之一認為這個十七年是武王自身在位的年數（「今本」）；另一整理本則從文王受命開始計算，在文王崩逝七年後，再加上武王自身在位的十年（克商前四年，克商之年，克商後五年）；此整理本稱之為「古本」。我無法判斷這個「古本」是公元三世紀末時「原

麼想的。

結論

　　總而言之，根據以上關於武王崩逝之年的討論，特別是從「今本」《竹書紀年》所提供的記載中，我們可以看出兩件事。第一，武王崩於克商之後二年。這是所有先秦及西漢史料中一致認同的看法（即《尚書・金縢》、《逸周書・作雒》、《管子》、《淮南子》與《史記》）；毫無疑問，這也是原始墓本的《竹書紀年》所記載的時間。但我們也看到，於公元二八〇年出土的《竹書紀年》竹簡經過了重新整理，為的是表明武王在克商後第六年崩逝。後一種說法與一個起源於東漢時期，在文獻出土時候已經為人廣泛接受的傳統是互相一致的。這個重新整理的紀年是否確認長期以來為大多數學者所信服的說法，即「今本」《竹書紀年》是無可救藥地被歪曲的文獻而沒有太多史料價值？我並不認為如此。實際上，我認為事實恰如其反。基於已被證明的語文學條律來做一個簡單的校訂，足以讓我們再重構這些紀年的原始順序。更重要的是，我們已經看到一支有四十個字的錯簡，而該數字正好是這批文獻中每支竹簡所記載文字的數目。這無疑揭示了至少這段話原封不動地保存了公元二八〇年出土時的樣子，這也是

始」《竹書紀年》的再現，或者只是對於原來墓中文獻的另外一個解釋而已。不過，這樣的一個解釋既然可以存在，說明在「今本」中武王克商統治天下前十一年的詞條，並非墓中的文獻；換言之，即這些內容都是「今本」《竹書紀年》的編纂者所創作。雖然這樣的偽造行為並未對整理克商之後的詞條（也是本文主要討論的對象）有所影響，但這已經嚴重地影響最後一位商王帝辛的紀年問題。這裡也暗示了武王克商的絕對年代，這問題在這裡討論實在過於複雜。欲知此問題詳盡的說明及其暗示，請參見拙作 Edward L. Shaughnessy, "The 'Current' *Bamboo Annals* and the Date of the Zhou Conquest of the Shang," *Early China* 11 (1985-1987): 33-60。

公元前二九六年入土時的原貌。在後來長達十七個世紀的流傳過程
中，一個字都沒有增加或減少。假如紀年中的一段文字可依此方式證
明不是宋朝以後的偽作，我認為我們必須承認這樣一種可能性：整部
「今本」《竹書紀年》皆是以類似忠實的方式流傳至今。但這並不表
示學者們現在可以任意而不加鑑別地使用這部文獻。事實上，在本文
中所討論的例子，是在詳細的、具有批判性的檢核之後才足以恢復其
歷史可信度。但這足以表示，未來研究中國上古史的學生們不能忽視
《竹書紀年》中的證詞，甚至包括（或者說尤其是）「今本」《竹書紀
年》中的那些證詞。

（黃聖松、周博群　譯）

4

周公居東與中國政治思想中君臣對立辯論的開端

　　周公旦在中國歷史上，大概是在孔子之後最為人推崇的一位賢人。事實上，身為上古時期的聖王和較晚的聖哲之間的重要連接，周公旦的德性甚至被認為勝過孔子。人們非常熟悉他在周朝建國初年所扮演的角色，特別是他為年輕的姪子周成王攝政一事。雖然周公旦當時只是臣子，但他證明了自己有能力代替君王統治天下，並恢復其秩序。然而根據這個傳說，周公並非篡位者；相反的，周公旦是一位謙虛而且奉守公義的賢人。在周成王年齡大到可以自己掌管天下大事時，周公旦便立刻還政於周成王。此舉毫無疑問地，促使孔子為了要褒獎周公旦在政治上的成就，做出了以下的評論：

　　甚矣吾衰也。久矣吾不復夢見周公。[1]

但是孔子也意識到，周公是否會出現主要取決於孔子本人的德性（及其政治地位）而非周公。

　　自從孔子時期以來，周公在中國政治言談中的出現與否，一直被視為是用來衡量統治者和臣子之間權力消長的一個指標。在戰國時代

＊　此篇文章為筆者修改過後的〈周公居東新說：簡論〈召誥〉、〈君奭〉著作背景和意旨〉，收錄於《西周史論文集》（西安：陝西人民教育出版社，1993 年），頁 827-887。此篇文章由吉德煒（David N. Keightley）編輯後刊登於《古代中國》（*Early China*）。

[1] 《論語‧述而》第七章。

中期，當皇室權威徒具其名時，周公崇拜在此時達到前所未有的高峰期——一方面周公被視為是和周文王（公元前1050年）[2]以及周武王（公元前1049/45-1043）[3]同等高尚的聖人；另一方面，越來越多人認為，當有一位賢能的臣子在朝時，在位的君王必須要讓位給該賢臣。[4]然而，隨著之後秦朝大一統天下的來臨，君主的絕對權威得以確立，關於周公的話題幾乎完全消失了。[5]一直要到西漢末年的霍光（公元前69）攝政以及王莽（公元前33-公元23）篡漢自立為新朝時，關於周公討論才又再次出現。[6]

周公再次踏上中國政治舞臺時帶著權威。王莽宣佈創建新朝時，挪用了傳統上被認為是周公旦所作的文獻——《尚書·大誥》，並且

---

[2] 關於此處所提及的西周年代表，如果要更詳細的資料，請參見Edward L. Shaughnessy, *Sources of Western Zhou History: Inscribed Bronze Vessels* (Berkeley: University of California Press, 1991), 217-287。

[3] 除了周公一直在不同的學術流派中與周文王和周武王相提並論外，周公崇高地位也見於當時對於政治哲學有相當完整記載的《逸周書》中，周公在此書中扮演相當重要的角色。關於《逸周書》的研究指出，此書的主要的篇章，同時也是有周公扮演重要角色的那些篇章，應該都是在公元前四世紀末所完成的。請參考黃沛榮：《周書研究》（臺北：臺灣大學中國文學系博士論文，1976年）。

[4] 關於當時各家學派對於此議題不同看法的簡要概括，請參見A. C. Graham, *Disputers of the Tao: Philosophical Argument in Ancient China* (La Salle, IL: Open Court Press, 1989), 292-299。

[5] 這個論點可見於比如顧頡剛：〈周公執政稱王——周公東征史事考證之二〉，《文史》第23期（1984年），頁1-30，特別是頁9-12。而魯唯一（Michael Loewe）根據其對於漢代文獻的鳥瞰，在一九九一年的十月十五日告訴筆者：「我的印象還是你必須要等到王莽及後漢時期才會看到有人注意周公的各個特質。」

[6] 年老的漢武帝（公元前140-87年在位）曾經在霍光前展示一幅周公輔佐周成王的圖畫（公元前1042/35-1006年在位），暗示霍光擔任年輕漢昭帝（公元前86-74年在位）的攝政大臣。此故事見於《漢書》（北京：中華書局，1962年），卷68，頁2932。東漢時期也有類似的圖畫，請參見Martin J. Powers, *Political Expression in Early China* (New Haven: Yale University Press, 1991), 43, fig. 21，關於相關的討論請參見頁156-163。

刻意地將自己與周公對比。[7]這個舉動顯然首次將周公視為不只是輔佐周成王（公元前1042/35-1006）攝政，而實際上本身就是治理天下的「君王」。[8]從此以後，關於周公的討論大多圍繞周公的王權而展開。比如說在初唐，現在被視為皇室成員而非臣子的周公就從孔子廟裡撤了出來。[9]但是另一方面，政治上十分保守的清朝考證學者再次賦予周公極高的評價，認為他結合了政治活動的能力和深刻的哲學智慧。[10]

　　本文的意圖不在於繼續探討周公在後代歷史中的角色。與此相反，筆者試圖捕捉周公生活時代的某些側影。為了實現這一目的，筆者首先將回顧學者之間的幾個少數的共識，關於周公生平的歷史政治背景，以及周公本人在其中扮演的角色。之後，筆者將更加詳細地探討三組相關問題：首先，在周公攝政期間是否被尊稱為君王；再者，周公攝政的本質為何，特別是他最後為何還政於成王；最後，周公為

7　此詔告通常稱作〈莽誥〉，見於《漢書》，卷84，頁3428-3434。

8　文獻上第一位將周公視為君王統治天下的學者似乎是鄭玄（127-200），對於《尚書》中〈大誥〉裡「王」字的註解，鄭玄認為指的就是周公；也就是說當周公輔佐周成王治理天下時，他挪用了「王」的稱號。見於《尚書正義》（四部備要本），卷13，頁9b。

9　相關論述，請參見David McMullen, *State and Scholars in T'ang China* (Cambridge: Cambridge University Press, 1988), 33。McMullen指出，藉由區隔開周公和孔子的方式，唐朝利用此祭祀維持皇室與大臣及學者在地位上的區分：皇族由周公所象徵，大臣及學者由孔子所象徵

10　章學誠（1738-1801）是歷史上第一位將周公的地位提高超過孔子的哲學家之一。請參見 David S. Nivison, *The Life and Thought of Chang Hsueh-ch'eng* (1738-1801) (Stanford: Stanford University Press, 1966), 146-149。大約與此同時，許多研究《尚書》的漢學家引用鄭玄對於〈大誥〉裡「王」字的註解，認為周公當時確實稱王，而且也因此就是《尚書》中大多數皇室詔告的作者。比如江聲：《尚書集注音疏》（1793年近世居本），卷6，頁17a；王鳴盛：《尚書後案》（四部叢刊本），卷14，頁1a-b；孫星衍：《尚書今古文注疏》（四部叢刊本），卷14，頁1a。甚至連今文學者皮錫瑞也抱持著同樣的看法，請參見皮錫瑞：《今文尚書考證》（1897年師伏堂本），卷12，頁1a-b。

何以及如何「居東」。其中第二個問題將會是本文的焦點。在接下來的討論中，筆者將會仔細地探討《尚書》中的〈君奭〉和〈召誥〉兩篇。我認為它們代表了關於周公是否應繼續攝政的兩種針鋒相對的意見。由於筆者引用了《尚書》中的〈君奭〉及〈召誥〉來說明周公攝政的合法性在當時受到質疑甚至是被推翻，因此或許會有讀者認為筆者於本篇文章的目的是要拆穿關於周公的傳說。然而，事實上則是剛好相反。筆者認為這類有關歷史背景的解讀有助於表明為何周公（以及那些文獻本身）在今天仍然是有意義的。

周公時代的歷史背景

對於一位如此不容忽視的人物，我們對其歷史真相的知識卻少得驚人。多數史料認為，周公在周文王[11]的十個兒子中排行老四，並且在周武王伐商期間（公元前1045）[12]擔任主要的將領。在推翻殷商之

---

[11] 西周王朝名義上的建國君主周文王，據說和皇后總共生下了十個兒子，分別為先父而死的伯邑考、之後繼位為周武王的姬發、管叔鮮、周公旦、蔡叔度、曹叔振鐸、成叔武、霍叔處、康叔封及聃季載。相關資料請參見《史記》（北京：中華書局，1959年），卷35，頁1570。另外還有周文王與其他的妃子所生的兒子，而其中最重要的一位便是召公或者是人稱的大保奭。

[12] 值得一提的是，在關於武王伐商事蹟的最早記載中，有《逸周書》中的〈克殷〉以及〈世俘〉兩篇。在〈克殷〉中，周公在武王伐商這場戰爭中，扮演著極為重要的角色；而在〈世俘〉中竟然完全沒有出現周公的記載。如同筆者於上文第二章所提出的看法，〈世俘〉幾乎可以肯定是西周史籍，甚至可能是武王伐商的同時記錄。相反地，〈克殷〉在許多語言的使用上是違背當時的歷史，而其中最為明顯的便是關於「輕呂」這個名詞的使用。「輕呂」幾乎可以肯定是一個中亞詞語的音譯，就是希臘人所知的一種弧形的劍類武器 akinakes，而此物不可能在早於公元前三〇〇年多久以前就傳進中國。然而因為思想的原因，司馬遷（公元前145-86）在他所撰寫的《史記》（卷4，頁124-126）中，採取的是〈克殷〉裡描述周武王伐商的細節，而大多數歷史學家都是透過閱讀《史記》來了解周公在這場戰役中的角色。

後，周公留在西周王都繼續輔佐周武王；於此同時，包括其兄管叔鮮在內的其他皇親國戚受封於之前殷商的領土，相當於今日的安陽一帶。周武王約兩年之後駕崩（公元前1043），留下了當時尚未成年的周成王，於是周公控制了西周王朝。有跡象表明，受封於東方的兄長們認為周公此舉是篡位；[13] 不管怎麼說，這些諸侯迅速聯合殷商王朝最後一位帝王的後裔武庚，以及地處更東方位置的前殷商王朝的諸侯國，一同反叛西周王朝的統治。在接下來的兩年時間內，周公連同年輕的周成王以及另一個皇室成員，周公同父異母的兄長奭（大保），一起平定了這場叛亂，並且成功地將西周的統治範圍擴大到整個中原的東半部。

在接下來的四年中，周公一直是周成王的攝政大臣（雖然他很明顯的是和周成王以及大保奭共同統治的）。《尚書》中大部分的〈誥〉就是在這段時間完成，而周公也是這些文獻裡的主角。很不幸地（至少就敘述歷史來看），這些文獻主要包含的是政治性的言論，因此研究者主要關注其超時間性的哲學內容，而非其歷史背景的意義。在接下來的文章中，筆者將說明其他史料如何有助於理解其歷史背景，以及這種理解如何進一步有助於理解這些文獻的內容。

關於周公稱王問題的探討

周公稱王的概念（西漢末年的王莽篡位稱帝時首次提出，很久之後又由清代的學者再次提出）和二十世紀兩位最優秀的中國古史學家王國維（1877-1927）以及顧頡剛（1893-1980）聯繫在一起。這兩位

---

[13] 許多的文獻中都記載，當時管叔和蔡叔都對周公的動機充滿懷疑。請參見《史記》，卷4，頁132。

學者探討此問題都引入了新的史料。作為最早研究殷商時期甲骨文的史學家之一，王國維指出西周在滅商之後還保留了許多商朝皇室制度（至少在初期），特別是「兄終弟及」的政治世襲制度。因此，王國維指出，當周武王在成功滅商後的第二年駕崩時，周武王的弟弟周公旦便順理成章地繼位為王。當周公七年後下臺以讓位於武王長子誦（周成王）時，這代表的並不是一個單獨的行為，而是皇室世襲制度的有意變革；從此以後，西周王朝轉變成「父死子繼」的君主世襲制度。在王國維眼中，這表明了周公在西周政治制度確立中的核心角色。[14]

顧頡剛進一步發展了這一觀點。雖然他在許多研究《尚書》的文章中對此有所提及[15]，但其最後也是最完整的表述出現在其去世後才發表的文章〈周公執政稱王〉裡。[16]文中，顧頡剛極為詳細地討論了許多與此問題有關的傳統文獻證據。[17]更重要的是他還引用了一些新的證據，即西周時期的兩篇銘文。據顧氏說，這兩篇銘文無疑證明了周公確實在攝政時被尊稱為「王」。第一篇銘文來自渣嗣土逘簋（也

---

14 王國維：〈殷周制度論〉，《觀堂集林》（1923年；北京：中華書局，1984年再版），卷10，頁3b；冊2，頁456。然而，王國維並未對為何西周在克商之前的繼承制度——從古公亶父傳到王季、再傳到周文王、最後是周武王——是基於父傳子的世襲制度做出任何的解釋。王國維同樣也沒有對於為何在周武王死後，是周公繼位而非周公的兄長管叔鮮繼位做出任何的解釋。

15 關於顧頡剛對此論點的最早的直接表述，請參見顧頡剛：〈尚書大誥今譯〉，《歷史研究》，1962年第4期，頁26-51，特別見頁50-51。

16 請參見註5。

17 當然，顧頡剛基本上引用了那些他認為是支持周公稱王的文獻來佐證他的論點。然而，有一些顧頡剛所沒有引用到的文獻，而這些文獻相對於顧頡剛所引用的文獻來說，歷史更早而且也更加明確指出事實上周公並沒有稱王。例如，在《孟子·萬章上》孟子談論到要王天下之前必須要具備的條件時指出：「繼世以有天下，天之所廢，必若桀紂者也。故益，伊尹，周公不有天下。」

稱作康侯簋）。[18]

> 〈渣嗣土逡簋〉
> 王來伐商邑征
> 令康侯啚于衛
> 渣嗣土逡眾啚
> 作厥考障彝朋

如同絕大多數學者那樣，顧頡剛也認為銘文第二行的「康侯」指的是周公的弟弟康侯封。他同時認為此銘文正是康侯封受封於前殷商首都的所在地衛國的最佳證據，而大部分的學者也不會認為此說有何特別之處。[19] 然而，顧頡剛的意見與多數學者卻有不同之處。他進一步認為，既然傳統史料都表明受封事件發生於周公攝政期間（就銘文第一行看來，特別是在平定武庚叛變之後不久），而當時的周成王年紀尚輕，不可能親自出征[20]，那麼銘文第一行裡攻商城池的「王」就只可能是周公。[21]

---

[18] 關於此銘文的詳細內容，請參見白川靜：《金文通釋》，收入《白鶴美術館誌》（神戶：白鶴美術館，1962-1984 年）。在顧頡剛的著作中，他只有隸定而沒有任何的解釋。然而，由於顧頡剛將此銘文視為是渣嗣土逡簋，所以顧頡剛和筆者對於此銘文到底是由康侯或者是渣嗣土逡所鑄的重要問題，看法應該是大致一致的。

[19] 筆者了解有許多學者認為筆者使用「受封領土」來形容授予康侯封衛國領土的事件是不尋常的。筆者當然同意「封建」需要更加小心的使用，然而，筆者認為在西周初期使用「受封領土」，描述授予像康侯封這樣的皇室成員土地，並不是不合宜的。

[20] 〈書序〉在數處都曾明白指出周成王確實參與平定武庚之亂的軍事行動。在其他的文獻中，也都有稍微暗示周成王曾經參與平定武庚之亂的軍事行動（其方式是在提到武庚之亂被平定時，順便提到周成王在奄），如《史記》（卷 4，頁 133），以及《竹書紀年》。

[21] 相似的論點，請參見松本雅明：〈周公即位考──初期尚書成立についての研究〉，《史學雜誌》第 77 卷，第 6 期（1968 年），頁 1-37。

　　同樣的方式，顧頡剛也引用了王在魯尊（更恰當地說是蔡尊）的銘文，其拓片目前存放於北京圖書館（但是之前未曾出版）：

　　〈蔡尊〉
　　王在魯，蔡錫貝十朋，對揚王休，用作障彝。

顧頡剛又一次在沒有引用明顯文獻證據的情況下指出，無論在西周還是東周，都沒有哪一位周王在魯出現。[22] 然而，因為周公在平定武庚叛亂時，曾經在魯出現，因此顧頡剛認為此銘文中「王在魯」的王，就只有可能是周公而別無他人了。

　　儘管筆者尊重顧王二人使用同期史料研究周公稱王問題的首創性，但卻認為他們的論證有循環的嫌疑。首先就王國維而言，周公如果要建立新的世襲制度，就必須已經在假定的舊制度下稱王，而他必須已經在舊制度下稱王才會需要建立新的世襲制度。就顧頡剛而言，兩則銘文中一個無名的君王必須是周公，才能使得周公稱王。筆者不打算具體回應顧王二人的論證，而將引用其他西周銅器銘文來說明早在平定武庚之亂時（也即周公攝政期間），周成王就已經被視為君王。

　　我們首先要看到的銘文是在〈禽簋〉上。

　　〈禽簋〉
　　王伐邾侯周公
　　某禽祝禽又
　　𣪘[23]祝王錫金百孚

22　如同註21所提及，在數部典籍中都曾明確載明周成王在奄，在之後的章節中（第105頁），筆者將會提出證據說明，奄就位於現今的山東省曲阜。

23　白川靜《金文通釋》將此古文字𣪘（沿用阮元：《集古齋鐘鼎彝器館識》〔1804年

禽用作寶彝

多數學者根據第一行提到的周公，將銅器時間定為周朝初年，這與銅器的形制以及銘文的書法一致。儘管「周公」當然也可以指周公旦的後裔，但在第二行以及第四行中提到的「禽」——周公長子之名，受封於今山東曲阜的魯國——強烈暗示這裡的「周公」指的是周公旦。

此論點的進一步證據，來自第一行提到關於進攻鑾侯的事件。「鑾」幾乎肯定應該讀為「蓋」，金文字形上的兩個木與楷書的「艸」字頭互通（這種互通習見於古文字中[24]），而楷書字形下面的「皿」是後來添加的。《韓非子》指出，蓋這個國家是當時周公平定武庚叛亂時遭受攻擊的國家之一[25]。它的名字在其他中國古文獻中也寫作「奄」（兩者的差別可能來自方言，因為在上古音裡其讀音相近），[26]而《說文》明確指出「奄」位於現今的曲阜。[27]此外，〈書序〉提到周成王在平定武庚叛亂期間曾經伐奄[28]。這可能就是銘文第一行提到的征伐。因此，既然銘文明確提到了「王」和「周公」，那麼兩者乍看之下肯定是不同的。這裡所指的王一定就是周成王，即使在周公攝政期間，成王也已經稱王了。

其他另外兩件時代稍晚於周公和成王的銘文也與此問題有關。幾乎肯定是康王時期的銅器宜侯夨簋在其銘文開頭提到，「〔王〕省武王成王伐商圖」。傳統文獻只記載了兩次西周克商的戰爭：第一次是

知不足齋本〕，卷5，頁28）隸定為𣪊，此字很明顯指的是某種獻祭儀式，但是哪一種筆者並不清楚知道。

[24] 請參見高明：〈古文字的形旁及其形體演變〉，《古文字研究》第4期（1980年），頁71-72。

[25] 《韓非子》（四部備要本），卷7，頁10b。

[26] 關於蓋和奄更加詳細的討論，請參閱以下第123頁。

[27] 《說文解字段注》（四部備要本），卷6B，頁34a。《說文》記載這個文字為郒。

[28] 請參見以上附註20。

武王克商，而第二次則是平定武庚之叛亂（的確，在武庚之亂後，這一股商遺民的邦國被廢除，由康侯封統治的衛國取而代之）。因此，宜侯夨簋提到由成王率領的戰事，一定是武庚之亂。這和顧頡剛關於周成王因年幼而不能率兵的論斷正好相反。

另外值得考慮的是恭王時期的重要銅器史牆盤，因為其銘文簡述了西周開國以來前七代王的歷史而十分著名。銘文以「曰古文王」開頭，[29] 之後繼以「䊪圉武王」，然後直接跳到「憲聖成王」。儘管銘文後來提到了周公（作為武王的臣子），但卻不在周朝帝王之列。由此我們可以清楚地知道西周中期的史官並未將其視為帝王。我認為這些銘文是我們在這個問題上能夠得到的最好證據，它們確鑿無疑地表明了周公在其一生中從未稱王。

關於周公攝政之議題探討

如果我們只依靠銅器銘文來探討西周初期的歷史，就會認為周公當時非但沒有稱王，並且沒有扮演什麼重要角色。事實上，由於找不到多少周公傳說的同期證據，顧立雅（Herrlee G. Creel）忍不住問道：「為什麼周公在西周時期的史料上記載這麼少，而且也鮮於被人歌頌呢？」[30] 除了上述所提到禽簋上的銘文外，周公的事蹟只有在其他另外兩件當代的銘文中被提及：小臣單觶以及塱方鼎。[31] 這兩件銘文似乎都是從平定武庚之亂的戰績而來的：塱方鼎明確提到了平定

---

[29] 關於此銘文及其之後的銘文翻譯，請參見Shaughnessy, *Sources of Western Zhou History*, 185-186。

[30] Herrlee G. Creel, *The Origins of Statecraft in China, vol. 1: The Western Chou Empire* (Chicago: University of Chicago Press, 1970), 74。

[31] 數件銘文都提到過世的周公的事：榮簋、令彝、沈子它簋，以及上述提到的史牆盤。

東夷、豐伯以及蒲姑的經過；[32]而小臣單觶則記載了「後叡克商」。[33]基於這一證據，沒有理由懷疑周公在平定武庚之亂以及鞏固西周王朝統治中的作用。[34]但既然三段銘文中的兩段都提到除了周公之外還有「王」，那麼它們無法支持後世認為周公獨立完成鞏固大業的觀點。

當然銘文史料不是唯一有關西周初年的證據，《尚書》中也有幾篇來自西周初年。儘管這些篇章的年代及真實性尚有爭議，但沒有哪項嚴肅的研究可以忽略它們。[35]在接下來的討論中，筆者將會仔細探

---

32 東夷和蒲姑，在傳統史料記載上都是鎮壓戰役的攻打對象；關於更詳細的探討，請參見顧頡剛：〈三監及東方諸國的反周軍事行動和周公的對策〉，《文史》第26期（1986年），頁1-11。雖然豐伯在傳統史料記載中的重要性並不如東夷和蒲姑，但是筆者將會在以下第123頁證明，豐在地理位置上相當靠近東夷以及蒲姑。

33 筆者在此沿用陳夢家將此古文字叡先釋為屋，再釋為掘；請參見〈西周銅器斷代（一）〉，《考古學報》，1955年第9期，頁160。值得注意的是，在此銘文中，就如同在禽簋銘文中一樣，王和周公都同時出現：王是「後叡克商」的主角，而周公則在成𠂤接受君王賞賜。如果在此處的王，就像陳夢家及白川靜《金文通釋》所認為那樣，就是周成王，而且「後」克商也似有此意（而受封賞賜典禮的舉行地點成𠂤應該就是洛陽，亦即後來的成周，或許也指向這個結論），那麼就可以再次證明周成王確實參與平定武庚之亂，而且在當時也確實是稱王的。

34 巴納（Noel Barnard）在上一個世代對於這些關於周公的銘文曾經表示質疑。筆者認為我們現在可以完全平息這個爭議。關於巴納對於此議題的探討，請參見Noel Barnard, "Chou China: A Review of the Third Volume of Cheng Te-k'un's *Archaeology in China*," *Monumenta Serica* 24 (1965): 337-354。關於巴納所使用方法的評論，請參見Shaughnessy, *Sources of Western Zhou History*, 43-62。

35 關於《尚書》中不同章節時代考究的具有代表性的文章，請參見Creel, *The Origins of Statecraft in China*, 447-463。顧立雅認為其中十二篇屬於西周時代，而這十二篇中的九篇則屬於周公時期：包含了〈大誥〉、〈康誥〉、〈酒誥〉、〈召誥〉、〈洛誥〉、〈梓材〉、〈多士〉、〈君奭〉以及〈多方〉。吉德煒（David keightley）批評了如此的年代判斷，認為這些篇章應該是在西周末年所著作的，因此反映的是回顧性以及理想化的陳述；請參見*Journal of Asian Studies* 30.3 (1971): 656。另一位學者杜百勝（W.A.C.H. Dobson）（*Early Archaic Chinese*〔Toronto: University of Toronto Press, 1962〕, 123-30）也認為將〈大誥〉、〈康誥〉、〈酒誥〉、〈召誥〉、〈洛誥〉以及〈多方〉視為是西周初期作品的看法，然而他論證方法不無質疑之處。杜百勝認

究與周公攝政直接相關的〈君奭〉及〈召誥〉兩篇。筆者認為這兩篇
為周公攝政的本質提供了重要線索——特別是它如何結束以及在西周
歷史上如何被人看待。筆者同時也希望這一解讀可以為《尚書》的詮
釋提供新的方法。

除了周公之外，〈君奭〉和〈召誥〉這兩篇還關係到另一個西周
初期最重要的大臣：召公，或者是人稱「大保」的奭。與周公不同，
大保奭經常出現在西周初期的銘文中。據成王初年的銘文記載，大保
奭在平定武庚之亂中扮演著相當重要的軍事角色。[36]之後康王時期的
銘文甚至將大保奭形容成一人之下、萬人之上的朝廷權貴。在作冊大
方鼎銘文中，特別將大保奭稱做是「皇天尹」。[37]這些銘文中大保奭的
重要性與《尚書》及《詩經》中的記載相應。比如，在描述康王繼位
大典的《尚書·顧命》中，大保奭主持了整場典禮，並頒發了移交
皇位的正式命令。大保奭的重要性亦可在《詩經》中顯現出來。《詩

為在《尚書》中的這些篇章，就語言學來說，應該和他所研究的十四件銅器銘文
的樣本，屬於同一個時期，而事實上，這些銘文至少有一件，即〈毛公鼎〉，應是
屬於西周晚期的作品，而其他例如〈令簋〉和〈班簋〉則是屬於昭王時期（公元
前977/75-957年在位）以及穆王時期（公元前956-918年在位）。因此，即使杜百勝
的語言分析是正確的，我們最多也只能從他的樣本中推論這些篇章屬於西周時期。
筆者於本篇研究的目的，並不在於解決此一重要的議題。在之後筆者將仔細探討的
《尚書》〈君奭〉及〈召誥〉，筆者認為毫無疑問的，它們的著作年代大大早於那些
在孔子時代開始圍繞周公出現的聖人化傳說；因此，此兩篇內容幾乎肯定反映的是
西周時代的歷史學關懷。

[36] 請參見〈大保簋〉、〈征卣〉以及〈旅鼎〉。關於此三段銘文的時空背景及其意涵，
請參見以下第五篇。

[37] 參照以下143-144。關於周康王時期的其他銘文中，同樣將大保奭稱作是皇天伊
者，還包含了〈堇鼎〉、〈叔器〉，以及最近才出土的〈克盉〉；關於此銘文的詳細
研究，請參考殷瑋璋：〈新出土的太保銅器及其相關問題〉，《考古》，1990年第1
期，頁66-77；曹淑琴：〈周初太保器綜合研究〉，《考古學報》，1991年第1期，頁
1-21。

經》中幾乎沒有提到周公，在西周的部分則完全不見蹤影，[38]然而大
保奭（《詩經》稱之為召公）卻在〈大雅〉的兩首詩中被描述成是西
周建國的元老之一。

> 文武受命，召公維翰。
> ——《詩·大雅·江漢》

> 昔先王受命，有如召公，日辟國百里。
> ——《詩·大雅·召旻》

筆者認為，大保奭在鞏固周王統治的事業中所扮演的角色，一直沒有
受到西周史學家足夠的關注。[39]其結果之一在於無法恰當理解〈君奭〉
和〈召誥〉裡反映出的大保奭與周公旦之間的互動。

〈君奭〉：周公若曰

〈君奭〉的目的是記錄周公對大保奭講的一段話，鼓勵他——甚
至可以說是懇求他——繼續協助治理西周王朝。在詮釋此篇時的問
題之一是其寫作年代。在目前《尚書》的編排中，〈君奭〉不只是編
在〈召誥〉及〈洛誥〉之後，同時也編在〈多士〉及〈無逸〉之後。
根據〈召誥〉及〈洛誥〉的內容，我們可以推測其作於周公攝政第七
年；而〈多士〉及〈無逸〉則作於同年或不久之後。因此，〈君奭〉

---

[38] 周公只有在兩首詩中被提到：〈豳風〉中的〈破斧〉及〈魯頌〉中的〈閟宮〉。後
者大約在公元前七世紀所寫成，記錄的是魯國的歷史，而周公是魯國名義上的建國
者。無論如何，〈魯頌〉裡面關於周公的記載非常有限，他只是現任魯侯的祖先而
已。

[39] 關於大保奭所扮演的角色，請參見Creel, *The Origins of Statecraft in China*, 69-78。
同樣也請參見以下第五篇。

似乎也應該在此之後。[40] 這樣的編排方式無疑影響了當今占主導地位的關於其成書背景的觀點：周公企圖勸告年邁的大保奭不要退隱。[41] 然而這樣的解釋並未考慮上文引用的銘文證據，大保奭持續輔佐周成王和康王至少有三十到四十年之久。除此之外，它也沒有說明關於此篇背景的最早解釋。

根據〈書序〉，周公當時講述這段話的主要目的，在於撫平大保奭的一些不滿。

> 召公為保，周公為師，相成王為左右。召公不悅。周公作君奭。

司馬遷（公元前145-86）的《史記》進一步擴大了這一解釋。

> 成王既幼，周公攝政當國踐祚。召公疑之，作君奭。君奭不悅周公。[42]

由此可見，司馬遷認為〈君奭〉作於周公攝政期間。這說明如果大保奭當時真的想要退隱，也絕不是因為年紀太大，而是因為與周公意見不合。

這種不合也可以在〈君奭〉中窺見一二，筆者將在以下的內容

---

[40] 然而，在這邊我們要注意的是，現今《尚書》的編排方式是有問題的。在現今《尚書》中，〈君奭〉後的下一個今文篇章是〈多方〉。然而，如同許多人已注意到的，這樣子的編排方式其實是錯誤的。〈多方〉在名義上是周公對東方各諸侯國領袖所講的話，而這段話的開首是某種形式的大事紀年：「惟五月丁亥王自奄至于宗周」。《竹書紀年》將周成王自奄返回宗周，記為是周公攝政的第五年，而此年代在〈多方〉裡面似乎也可以找到對應的證據來證實，例如在〈多方〉中，周公對東方的諸侯國領袖說：「今爾奔走臣我監五祀。」假使〈多方〉在年代順序上真的是編錯位置，那麼〈君奭〉也有可能出現和〈多方〉相同的問題。

[41] 蔡沉：《書集傳》（四庫全書本），卷5，頁24b。

[42]《史記》，卷34，頁1549。

中詳細描述。〈君奭〉以周公的一段話為開場白，認為上天消滅了殷商，而「我有周」接受了天命。

> 弗弔天降喪于殷，殷既墜厥命，我有周既受。

在宣稱天命不是命運的安排之後（藉此暗示它以良好的領導為基礎），周公很顯然是引用大保奭的話，提醒召公說你曾經是認同我的。

> 嗚呼，君已曰時我。

雖然此段文字的意思相當模糊，但是《偽孔傳》的解釋至少在語氣上可能是正確的：周公希望可以繼續輔佐周成王執政。[43] 這似乎暗示大保奭一開始確實同意周公攝政。一開始大保奭應該是贊成周公攝政輔佐周成王，但在許多危機之後（例如武庚之亂，年幼的周成王等），他肯定改變了態度，希望周公下臺。然而，周公警告大保奭不應滿足於現狀。他敦促雙方以長遠的觀點看問題：他們能否保證不知天命來之不易的下一代不會失去它？（「在我後嗣子孫……不知天命不易……乃其墜命」。）

接下來，周公似乎也自己承認其攝政的不合法性（「在今予小子旦非克有正」），但卻申辯說他只是為了確保「沖子」（應該是指周成王）可以從前人的美德中受益。在此，周公又再度引用了大保奭所說

---

[43] 關於此段文字的解釋，請參見高本漢（Bernhard Karlgren），*Glosses on the Book of Documents* (1948-49; reprinted in Stockholm: Museum of Far Eastern Antiquities, 1970), no. 1860。高本漢指出（雖然他不同意）《偽孔傳》中將「時」解釋為「是」，認為是周公希望大保奭可以「認可」他，使得他還可以繼續在位（而這樣理解顯然將「已」視為是驚嘆）。這個解釋也見於包括《尚書正義》（〔四部備要本〕，卷16，頁11a）以及王先謙：《尚書孔傳參正》（〔1904年虛受堂本〕，卷25，頁2b）等其他注釋。

的話，其含義顯然是西周王朝只有在正常的繼承中才能確保其統治。

　　天不可[44]信。我道惟寧王[45]德延，天不庸釋于文王受命。

周公用一個冗長的歷史論證來說明攝政的合理性。在歷代成功的君王旁，幾乎都有一位「良相」來輔佐他治理天下：伊尹相成湯；保衡相太甲；伊陟、陳扈以及巫咸相太戊；巫咸相祖乙；甘盤相武丁。

　　公曰：「君奭！我聞在昔，成湯既受命，時則有若伊尹，格于皇天。在太甲，時則有若保衡。在太戊，時則有若伊陟、臣扈格于上帝；巫咸，乂王家。在祖乙，時則有若巫賢。在武丁，時則有若甘盤。率惟茲有陳，保乂有殷；故殷禮陟配天，多歷年所。天惟純佑命，則商實百姓王人。」

周公繼續他的論點，宣稱即使是周文王的功績也必須依賴眾多良相：虢叔、閎夭、散宜生、泰顛及南宮括，更進一步指出他們在文王駕崩之後，依然繼續輔佐武王克商。事實上，周公甚至認為是這些良相啟發了周文王（「惟時昭文王」）並接受了天命（「惟時受有殷命哉」）！

　　公曰：「君奭！在昔，上帝割申勸寧王[46]之德，其集大命于厥躬。惟文王尚克修和我有夏，亦惟有若虢叔，有若閎夭，有若

---

[44] 在此「不」也很可能可以讀作「丕」，在西周的文獻中相當普遍，但是沒有獨立的證據證明這樣的改訂是正確的。

[45] 筆者在此將「寧」修改為「文」，而這在《尚書》中相當常見。似乎大保奭在此處所要強調的重點是王位繼承的正統性。

[46] 根據《禮記》（四部備要本），卷17，頁18a中〈緇衣〉裡面的文獻，筆者與高本漢以及其他的學者都認為，此處的「割申勸寧王」應該視為「周田觀文王」。詳細討論請參見 Karlgren, *Glosses*, no. 1879。

散宜生，有若泰顛，有若南宮括。」又曰：「無能往來茲迪彝
教，文王蔑德降于國人。亦惟純佑秉德，迪知天威，乃惟時昭
文王；迪見冒聞于上帝，惟時受有殷命哉。武王惟茲四人，尚
迪有祿。後暨武王，誕將天威，咸劉厥敵。惟茲四人昭武王，
惟冒，丕單稱德。」[47]

在結束其歷史論證之後，周公再次呼籲大保奭用長遠的觀點看問
題（「永念」）。周公指出他和大保奭現在在一個交界線，而自己就如
同在一條大河中游泳，祇有二人齊心協力才能過河（「予往暨汝奭其
濟」）。接下來，周公表面上再次承認攝政的不合法性「小子同未在
位」，[48]但也請求大保奭不要要求他退位。

誕無我責收。[49]

周公提醒大保奭，武王的遺命是要大保奭作人民的表率（「民
極」）並輔佐君王（「偶王」），最後甚至再三強調、甚至諂媚地督促
大保奭繼續與他合作。周公甚至承諾說如果大保奭願意合作，他們將
在適當的時機將政權交於後人（「讓後人于丕時」）。

---

[47] 筆者於此處沿用馬融（79-166）的看法，將「冒」讀為「勉」。關於此用法之討
論，請參見Karlgren, *Glosses*, no. 1624（雖然高本漢不同意這個讀法）。關於「丕
單」，筆者將之視為是「丕顯」。

[48] 在此處所指之「小子」，傳統上都將其解釋為周成王。然而高本漢（*Glosses*, no.
1885）根據孫詒讓（《尚書駢枝》〔北京：哈佛燕京學社，1929年〕，頁42a-b）指
出，在之前的句子中，「小子」所指稱的都是周公本身，因此在此處若將「小子」
認為是周成王，將會相當的不尋常。

[49] 高本漢（*Glosses*, no. 1886）沿用江聲《尚書集注音疏》〔1793年近世居本〕，卷
8，頁25a-b）的解釋，認為這一行隱晦的句義應該是如下所示：「周公回答召公
說，在攝政輔佐周成王之前，自己並不是位圖謀篡位者，而是一位普通的臣子：召
公不該逼迫他退休，相反地，召公應該要鼓勵他繼續完成他的使命。」

公曰：「君！告汝朕允。[50] 保奭！其汝克敬以予監于殷商大否，
肆念我天威。予不允[51]惟若茲誥，予惟曰，『襄我二人』。汝有
合哉，言曰：『在時二人。』天休滋至，惟時二人弗戡。其汝
克敬德，明我俊民，在讓後人于丕時。」

儘管如此，周公總結說，無論事業開始得如何出色，其結果都不確
定。既知如此，周公呼籲大保奭能夠「往敬用治」。

〈召誥〉：大保奭若曰

筆者懷疑召公奭對周公要求的回答保存在〈召誥〉中。宋代學者
林之奇（1112-1176）早就指出〈君奭〉和〈召誥〉之間的關係並不
只是同時在篇名中提到大保奭而已。在他對〈君奭〉中「君已曰時
我」的傳注中，林之奇認為兩篇的內容相互呼應。

「君已曰時我」時〈召誥〉所陳之言。〈召誥〉言「敬德」則
「祈天永命」，「不敬」則「早墜厥命」，命之修短不在天而在
人；故周公告召公，多援〈召誥〉之言而為之言而為之反覆辯
明曉人者，當如是也。[52]

筆者認為更有可能是〈召誥〉引用〈君奭〉。但是無論如何，林之奇
認為兩篇關係密切的看法是正確無誤的。

〈召誥〉的開始是一段編年體敘述，有關大保奭監督東都洛邑的

---

50 在《三體石經》中所記載的這一行是將「允」寫成「兄」，代表兄長之意，而此寫
法很明顯應該是正確無誤的；請參見 Karlgren, *Glosses*, no. 1893。

51 筆者在此處將「不」讀作「丕」，在西周文獻中相當普遍。

52 林之奇：《尚書全解》（通志堂經解本），卷33，頁7a。

興建工程。東都建成之後，周公舉行了一連串的獻祭儀式。接下來，在提到周公對參建的殷商遺民的一番講話之後（此談話明顯收錄在《尚書》〈多士〉中），大保奭據說帶領諸侯向周公獻幣。〈召誥〉其餘的內容則是大保奭在這一場合對周公發表的一段講話。[53] 敘述中的日期為此篇提供了確切的時間：某三月的甲子日。根據其他文獻（特別是〈洛誥〉），這一年是周公攝政的第七年也是最後一年（公元前1036年3月28日）。

大保奭用正式的禮節開場：

> 拜手稽首旅王若公。

「旅王若公」這個詞組，對於所有研讀〈召誥〉的人是相當棘手的問題。自從宋代開始，大多數學者的解讀都沿用蔡沉（1167-1230）的論點，將「若」視為表示「而」的連詞；因此該詞組意為「我讚揚君上和周公」。[54] 然而，筆者在同一時期的語料中找不到明顯的例子來證明「若」可以用來連接兩個名詞。與「若」的基本含義更一致的是《偽孔傳》的解釋。據《偽孔傳》的說法，「若」是一個動詞，代表「贊同；與……一致」[55]；而該詞組意為「展示出王如何應該同意公」。

---

[53] 高本漢（*Glosses*, no. 1718）沿用于省吾的論點（《尚書新證》〔1934年；臺北：崧高書社，1985年再版〕，卷3，頁1b-4a；頁158-163），背離傳統而將此段話視為是周公所講的觀點。高本漢和于省吾都認為，因為周公是獲贈幣動章的人，因此，應該是周公會做出此段談話開首的「拜手稽首」的動作。雖然在西周銘文中確實常見接受禮物的人會做此動作，但是〈召誥〉的姊妹篇〈洛誥〉中，顯示此用法是一再出現於王及周公身上，是用來表示對於任何一段相當重要的談話所常用的一種習慣性的開場。雖然高本漢對此篇的注釋有甚高的價值（他篇亦然），但是筆者認為由於高本漢一開始的解讀便錯誤，造成之後在詮釋整篇的主旨也是有問題的。

[54] 蔡沉：《書集傳》，卷5，頁2b。

[55] 將「若」看成是代表「贊同」的意思，不僅出現在殷商甲骨文中，同時也出現在〈召誥〉中的「面稽天若」，代表面對並且接受上天的讚許。

此訓釋假設了成王當時也在場，並且是講話的對象，這與序言的敘述
明顯矛盾。然而此訓釋卻帶來另一種可能：周成王對周公的「許可」
已經發生過了，也就是說，周公的攝政身分已經過成王的許可。既然
大保奭此番講話的目的在於強調王位的唯一合法性，那麼開頭提到成
王對周公的「許可」正好突出了二者的等級差別。大保奭似乎在暗
示，儘管周公是攝政大臣，但卻在為成王服務。

　　大保奭很快就點出了談話的目的。針對周公在〈君奭〉中所提出
的看法，即「我有周」——特別是虢叔、閎夭、散宜生、泰顛及南宮
括這些大臣們——得到了天命，大保奭強調是君王本身，也就是「元
子」（即長子）得到了天命。

> 皇天上帝改厥元子，茲大國殷之命。惟王受命。

在提到殷商遺民已接受其失敗後，大保奭接下來遵循了周公在〈君
奭〉中引用歷史先人的談話格式。大保奭向周公保證，周成王並不會
忘記這個教訓。不僅如此，成王還將從更高處獲得教益。他不僅會如
同周公所希望的那樣「稽我古人之德」，而且更重要的是「能稽謀自
天」，大概因為他身為「天子」所具有的獨特的德行。

> 相古先民有夏，天迪從子保；面稽天若，今時既厥天命相古先
> 民有夏，天迪從子保；面稽天若，今時既墜厥命。今相有殷，
> 天迪格保；面稽天若，今時既墜厥命。今沖子嗣，則無遺壽
> 考[56]；曰：「其稽我古人之德，矧曰其有能稽謀自天。」

---

[56] 理雅各（James Legge）以及高本漢翻譯的版本，都將此行中的「無」視作是命令
句「勿」，並且完全的忽略了「則」這個條件語，顯示這個年輕的小子已經繼位為
王，並且被告誡不要忽略了這些前輩們。然而，如此解釋不但語法上完全沒有根
據，更加重要的是，此舉完全無法表達出大保奭的主要用意：這是大保奭要對周公
所作出的勸告，即周成王一旦繼位為王，他也絕對不可能是一位專制獨裁的君王，

似乎為了要確保最後反問句的力量不至於消失，大保奭接下來大呼道：

> 嗚呼！有王雖小，元子哉。

大保奭最後總結此論點，希望周成王可以「王來紹上帝[57]，自服于土中」。

大保奭接著引用看來是周公的承諾（「其」字的頻繁使用，使得文義模稜兩可），即洛之「大都」建成之後就要還政於王。

> 旦曰：其作大邑，其自時配皇天。毖祀于上下，其自時中乂。

對此，大保奭回應道，周成王已經長大並且「有成命」，可以「敬作所」。

大保奭接著簡短回顧了歷史，並同意周公關於人的命運是要靠自己決定的看法。之後他再次回到王權獨一無二的話題上，並再次要求周公還政於王。

> 嗚呼！若生子，罔不在厥初生，自貽哲命。今天其命哲，命吉凶，命歷年；知今我初服，宅新邑。肆惟王其疾敬德？

表面上回應了周公反覆提出要放遠眼光的呼籲之後，大保奭將帝王德

而會接受臣子諫言。理雅各的翻譯請參考 James Legge, *The Chinese Classics, vol. 3, The Shoo King or the Book of Historical Documents* (1865; reprinted in Hong Kong: Hong Kong University Press, 1960), 474-486；高本漢的翻譯請參考 Bernhard Karlgren, *The Book of Documents* (Stockholm: Museum of Far Eastern Antiquities, 1950), 59-62。

[57] 「紹上帝」很明顯應該就是繼承王位，然而令人不解的是，這裡的王應該是要去上帝，特別是如果上帝被理解是殷商宗教中的至高天神。因此，筆者在此懷疑，或許這裡所指的是繼承天上的祖先。請參見 Robert Eno, "Was There a High God *Ti* in Shang Religion?" *Early China* 15 (1990)，尤其頁 20-26。

行的功用定義為「祈天永命」。周公希望周朝可如夏商一般長壽；而
大保奭則希望（「欲」）成王可以「以小民」（和人民一起），「受天
永命」。的確，在〈召誥〉的結論，大保奭重複了這個論述，不但不
接受周公請他繼任的奉承，而且聲明自己唯王是從。

> 予小臣，敢以王之讎民、百君子、越友民，保受王威命明德。
> 王末有成命，王亦顯。我非敢勤，惟恭奉幣、用供王，能祈天
> 永命。

筆者認為，這兩段談話在語氣上的差異，連同周公和大保奭之間
的分歧，都是毫無疑問的。周公將西周征服與統治視為君臣共同的天
命，而大保奭卻認為這是僅屬於君王的天命，畢竟祇有君主才是「天
子」；周公認為天命由努力爭取得來，而大保奭卻認為這是上天自由
給予的；周公認為夏、商甚至是周朝祖先（如文王）的成功都要歸功
於良相，而大保奭卻在他的談話中完全沒有提到任何一位良相，甚至
拒絕褒獎自己的勤勉；周公不斷提及良相的德行，而大保奭則認為德
行只屬於君主。

雖然周公在政治上的公平主義能喚起後世儒者以及現代西方人的
共鳴，但在當時的朝廷裡卻不那麼有說服力。周公失敗的最有力證
據，就是在召公希望他還政於王之後不久，他的確放棄了攝政大臣的
身分。儘管這一退讓的舉動在後世為他贏得了美名，卻沒能讓他在朝
廷再次得勢。與此相反，周公似乎在屈辱中離開了王都，之後不久即
在同胞的遺忘中去世。

關於周公居東之議題探討

筆者意識到，以上關於〈君奭〉與〈召誥〉以及周召二公關係的

解讀相當新穎。儘管如此，筆者認為，只要我們考慮周公生涯中的最後一個側面——「居東」，就能得到符合上述觀點的證據。

在許多將周公聖人化的傳說中，有一派傳統認為他發現自己不受成王待見——以至於某些文獻表明他進入某種程度的流亡狀態。最早提到此事的是《尚書·金縢》，但在《墨子》、《史記》與《論衡》等其他著作中也可以找到相關的記載。在接下來的章節中，筆者將會以《尚書·金縢》為起點，檢視這些材料。筆者冀望，通過揭示周公還政之後所發生的事件，有助於說明為何他極少出現在西周史料中。

〈金縢〉：周公遭遇政治責難

〈金縢〉可根據內容和語言分成兩部分。第一個引言部分講述了武王病危時，周公是如何為其占卜，如何願意以自己的性命交換武王的性命，並如何將此占卜的內容藏於青銅縢匱中。接下來，在一段令人費解的有關周公居東的文字之後，第二段描述了一則怪異的氣象事件，或許是受到成王與周公關係的影響。第一部分的語言明顯比第二部分古老，也許可以成為西周時期占卜活動的重要證據，[58] 但由於第一部分的作用只是預告〈金縢〉的最後一部分，因此無需在此多加贅述。另一方面，被顧立雅恰當地稱為「中國第一部短篇小說」的第二部分，明顯是由那些周公崇拜者編造出來的。[59] 由於其編作肯定很大程度上基於之前與周公有關的故事，所以筆者認為，通過閱讀這一編作也許能發現某些關於周公實際生平的痕跡，儘管它們肯定是模糊不

---

[58] 關於此占卜儀式的不同看法，請參見 Qiu Xigui, "An Examination of Whether the Charges in Shang Oracle-Bone Inscriptions are Questions," *Early China* 14 (1989): 113-114，以及倪德衛（David Nivison）的評論，頁 154-155。

[59] Creel, *The Origins of Statecraft in China*, 458.

清的。

此短篇小說由描述周武王駕崩的歷史事件開始，並且提到在周武王駕崩之後，周武王最大的弟弟管叔以及其他多個弟弟，聯合在西周境內散佈謠言，說周公實際上並沒有盡力輔佐成王。周公於是對當時王都內除他以外聲望最高的大保奭以及太公望說道：「我之弗辟，我無以告我先王」。接下來是相當令人傷腦筋的一句話：

　　周公居東二年，則罪人斯得。

這句話有兩種解釋。《偽孔傳》中認為此句話明顯和前文的內容一致，和周公平定武庚之亂有關（而武庚不僅參與而且可能率領了這個叛變）。根據這個說法，此處的「罪人」指的是叛亂者，而傳統的說法是叛亂的領導者多半不是被處死就是被流放。然而在大約《偽孔傳》一世紀之前，鄭玄（127-200）提出另一個非常不同的解讀：當時遭到流放的是周公，而被成王逮捕的罪人是他在王都的部屬以及同僚。[60]

　　雖然鄭玄的詮釋，明顯和〈金縢〉讚美周公的目的完全不一樣，但似乎被故事的其餘部分所支持。下一行提到周公接著獻給成王一首詩〈鴟鴞〉。這首詩目前可以在《詩經》中找到。由於此詩據說是周公所作，所以《詩經》的主流解釋傳統試圖從中找到關於周公美德的表現。然而詩中卻很難看出任何此類美德。與此相反，此詩看起來明顯是一個努力沒得到認可的人的抱怨之詞。此詩全文如下：

　　〈鴟鴞〉（《毛詩》155）
　　鴟鴞鴟鴞，既取我子，無毀我室。
　　恩斯勤斯，鬻子之閔斯。

60　請參見《毛詩正義》（四部備要本），卷8/2，頁1a。

迨天之未陰雨，徹彼桑土，綢繆牖戶。

今汝下民，或敢侮予。

予手拮据，予所捋荼。

予所蓄租。

予口卒瘏，曰予未有室家。

予羽譙譙，予尾翛翛，予室翹翹。

風雨所漂搖，予維音曉曉。

暫且不論這首詩原本是否和周公有關（筆者認為幾乎肯定無關），〈金縢〉的作者肯定認為此詩代表周公對自己當時處境的評論。尤其是在第二節的最後兩句：「今汝下民，或敢侮予。」不信任甚至不喜歡周公的人似乎不止他叛亂的兄長，而且甚至延續到叛亂平息之後。

〈金縢〉的結尾是一場猛烈的暴風雨，在收成之前猛烈襲擊了秋天的作物。周成王非常驚慌，而且試著要了解這場大雷雨的成因，於是打開了裝有占卜記錄的青銅縢匱。他發現周公竟然願意以自己交換生病的周武王。根據記載，周成王淚流滿面地緊緊抓住記錄占卜的簡冊，並且大聲讚揚周公：

其勿穆卜！昔公勤勞王家，惟予沖人弗及知。今天動威以彰周公之德，惟朕小子其新（親）逆，我國家禮，亦宜之。

在周成王做了如此動作之後，一陣逆向的風吹起，使得倒下的穀物重新站立起來，而且帶來一場大豐收。

儘管「惟朕小子其新（親）逆，我國家禮，亦宜之」一句有兩種解釋，然而上下文卻表明成王一開始無疑也是厭惡周公的人之一。第一種詮釋認為，周成王到城外去迎接流放歸來的周公。[61] 另一種詮釋

---

[61] 比如蔡沉：《書集傳》，卷4，頁34b。

則認為周公在當時已經死亡，並且依公爵之禮加以埋葬；但是當成王得知周公為周朝所做的種種努力之後，便重新以君王之禮來埋葬周公。[62] 不管怎麼說，即使是將周公聖人化的傳記也表明周公曾經不受重用，甚至在某個時段遭到流放。

周公在中國傳統中的地位非常崇高，但令人驚訝的是，關於其流放卻有相當一致的記載。舉例來說，上文提到的周成王以君王之禮重葬周公這一說法，至少可以追溯到公元一世紀的王充（27-97）。王充在討論這一重葬時指出，同代的古文學者認為在周公攝政、管叔和蔡叔散播謠言之後，成王就對周公的行為有所猜疑，而周公只得逃往楚國。事實上並非只有古文學者抱如此想法。司馬遷也曾在《史記》中兩度明確提及周公遭流放之事，其中一次甚至在〈魯周公世家〉中。以上兩則記載都含有〈金縢〉故事的不同文本，我們可以從中看出周公的流放發生在還政於成王之後。〈魯周公世家〉中記載到：

> 及七年後還政成王，北面就臣位，翼翼如畏然。初，成王少時病，周公乃自揃其蚤沈之河，以祝於神曰：「王少未有識，奸神命者乃旦也。」亦藏其策於府。成王病有瘳。及成王用事，人或譖周公，周公奔楚。成王發府，見周公禱書，乃泣，反周公。[63]

這裡關於周公流放到南方楚國的記載，似乎和〈金縢〉中周公居東兩年的記載不太符合，但是筆者認為很有可能兩者是可以調和的。

---

[62] 比如《論衡》（四部備要本），卷18，頁17b。

[63] 《史記》，卷33，頁1519-1520。第二處的記載見於〈蒙恬列傳〉（卷88，頁2569），只有些微的不一樣：及王能治國，有賊臣言：「周公旦欲為亂久矣，王若不備，必有大事。」王乃大怒，周公旦走而奔於楚。成王觀於記府，得周公旦沈書，乃流涕曰：「孰謂周公旦欲為亂乎！」殺言之者而反周公旦。

　　除西周史料之外，最早提及周公事蹟的或許是《墨子》。首先《墨子・非儒》相當間接地提到了周公，並將其與同代的叛亂者相比。其文曰：

> 周公非其人也邪？何為舍其家室而託寓也？[64]

〈耕柱〉一段類似的文字進一步提到周公居住在東方舊殷商的蓋。[65]

> 古者周公旦非關叔，辭三公，東處於商蓋。人皆謂之狂。後世稱其，揚其名至今不息。

在此段文字中所提及的地點「蓋」，很明顯就是〈禽簋〉銘文中的「蓋」。然而如上文提到的，陳夢家（1911-1966）提出大量文獻證據說明這個國名有不同的寫法，例如在《左傳》及《孟子》中都寫作奄。[66]出現兩個名字的原因無疑是上古漢語中兩者讀音相近。[67]

　　這一國名古字，似乎也引發了一些混亂。舉例來說，郭沫若（1892-1978）將〈禽簋〉銘文中的這個古文字視為是楚。[68]筆者認為這一解讀是錯誤的。[69]然而蓋和楚的古文字形（相對於）相當接

64　請參見《墨子》（四部備要本），卷9，頁16a-b。

65　請參見《墨子》，卷11，頁11b-12a。

66　請參見陳夢家：〈西周銅器斷代（二）〉，《考古學報》，1955年第10期，頁75。原出處見於《左傳》，〈定公〉4年；《孟子》，〈滕文公下〉第9章。

67　關於這些字的構擬，請參見Axel Schuessler, *A Dictionary of Early Zhou Chinese* (Honolulu: University of Hawaii Press, 1987), 185, 712。這兩個詞聲音上的相似，是由鮑則岳（William G. Boltz）提醒筆者的。鮑則岳認為這個情形大概就像是齊國姓氏陳、田之間的關係那樣。

68　請參見郭沫若：《兩周金文辭大系考釋》（東京：文求堂書店，1935年），頁11b。

69　代表「楚」的古文字常常出現在西周銅器銘文中，而在所有的記載中，此字中間的部位很清楚是寫成「疋」，而不是〈禽簋〉銘文中的所記載的「去」；請參見容庚，張振林，馬國權編：《金文編》（北京：中華書局，1984年），頁408-409，第0967條。郭沫若將〈禽簋〉銘文中的古文字視為是楚的解讀，其用意其實相當

近，因此不難想像其中一個字會被用來寫另一個。這一點十分重要，
因為《史記》中周公流放到楚國的說法，很有可能是誤寫了蓋字的結
果。若如此理解，就會和《墨子・耕柱》的記載相一致。

　　當我們回憶起蓋這個地方距今山東曲阜非常接近時，就不難理解
為何當初周公選擇流放到這個地點了。因為當時蓋就位於周公的長子
伯禽的封地魯國裡。筆者覺得周公在朝廷失勢後，沒有理由會選擇流
放到遙遠南方的楚國去；但選擇去長子伯禽的封地是很好理解的。

　　進一步的證據來自蓋國和另一個豐國之間的若干對應。首先，在
平定武庚叛亂的期間，豐就和蓋（或者是稱作奄）一樣，同樣受到西
周王朝的進攻。據〈𡊥方鼎〉的銘文記載，周公進攻了當時的東夷、
豐伯以及蒲姑。其次，在地理上，蓋和豐似乎都距離現今的山東省曲
阜非常的近。[70]再者，就像有跡象表明周公曾經住在蓋一樣，也有記
載指出周公曾經住在豐。事實上，有若干史料指出周公其實是死於
豐。舉例來說，《史記・魯周公世家》提供了如下關於周公死亡的記
載：

　　　周公在豐。病將沒曰：「必葬我成周以明吾不敢離成王。」周
　　　公既卒，成王亦讓，葬周公於畢，從文王，以明予小子不敢臣

明顯：藉由呈現西周王朝在周成王當政時確實曾經進攻過楚國，郭沫若希望可以藉
此證明在一個相當有名的辯論中，關於〈令彝〉以及〈令簋〉的時代先後問題上，
自己的論點是正確的。（請參見 Shaughnessy, *Sources of Western Zhou History*, 193-
216。）然而，郭沫若在針對〈令彝〉及〈令簋〉的時代先後問題上所提出的論點，
在現今的學界則普遍被認為並不恰當，而且關於郭沫若將此議題和〈禽簋〉上的銘
文所作的連結，肯定也無關。

70　雖然沒有任何直接的證據可以證明豐在地理上是在何地，但是大部分研究〈𡊥方
　　鼎〉銘文的學者都認為，豐勢必在靠近蒲姑的地方，在當時肯定就是曲阜附近。
　　關於這些地名以及其地理位置的討論，請參見顧頡剛：〈周公東征和東方各族的遷
　　徙〉，《文史》第27期（1986年），頁 8-9。

周公也。[71]

　　學界一般都認為周公過世的地點的豐就是當時王都豐（即今西安）。然而這就使得周公的遺言——「必葬我成周以明吾不敢離成王」——沒有意義。除此之外，根據《竹書紀年》的記載，在周成王十年時，周公「出居於豐」。[72]如果周公當時「出居於豐」，那麼此「豐」必非王都。既然周公確實在居東時到達今山東曲阜附近，而那一帶也確實有個豐，那麼周公很有可能「出居」於這個東方的豐，並死在那裡。

　　如果我們考慮周公的死亡時間，就會得到進一步支持此推測的證據。唯一明確給出此時間的文獻是今本《竹書紀年》，其中提到周公逝世於成王二十一年。然而，就如同雷學淇以及其他學者指出的那樣，同一文獻中記載著在周成王十三年六月，魯國在祭祀周公的廟前舉辦了一場盛大的禘祭。[73]這明確表明周公當時已經逝世。雷學淇認為，此慶典的舉行時間應該在二十七個月的喪期末尾，因此周公應該是在周成王十一年時去世。不論這一喪期觀點能否成立，都有獨立的證據表明周公確實死於成王十一年。已佚的《尚書·君陳》的〈書序〉寫到：

　　周公既沒，命君陳分正東郊成周。

此記載很明顯是《竹書紀年》中周成王於十一年所下的命令：

---

[71]　請參見《史記》，卷33，頁1522。

[72]　此記載也可在《尚書大傳》中得到證實。《尚書大傳》中很明顯記載在周公還政周成王之後，「三年之後周公老於豐」；《尚書大傳》（叢書集成本），卷4，頁2b。

[73]　請參見雷學淇：《竹書紀年義證》（1810年；臺北：藝文印書館，1976重印），頁282-283。

王命周平公治東都。

因此，假如周公像《竹書紀年》及《尚書大傳》中記載的那樣，於成王十年至豐，而且像〈書序〉和《竹書紀年》在互相聯繫後所記載的那樣，於成王十一年逝世，那麼其流放時間就應該是兩年，正好與〈金縢〉中的「居東二年」一致。

結論

筆者在本文中觸及了歷史上的周公及其生命中的失敗——如果他在政治上的挫折可以在任何意義上算作失敗的話。筆者相信這些討論並不能貶損他留給我們的遺產——即美德並不只屬於皇室成員如此甚有來歷的觀念。不可否認，周公對此觀念的闡釋可能更多是由於個人利益和政治上的權宜之計，而非任何哲學上的崇高理念。同樣不可否認，這一遺產被戰國時期的儒者和其他思想家渲染放大，他們希望在衰落的皇室中提升自己身為臣子的地位。然而，不可否認的是，周公確實是中國歷史上第一位申述此觀點的人物，而且因此也是後世臣子心目中聖人的合適人選。就此理念已經普遍化的事實而言，周公確實可以激勵每一個希望獲得美德的人。

（黃聖松、周博群　譯）

5

大保瑴在周王朝的鞏固中所扮演的角色

　　儘管近幾年出土的大多數有銘文的西周銅器都在周人的故鄉與首都陝西發現，但這並非唯一發現銅器的地方[1]。這些發現——或者在這個例子中應該算是再發現，最重要之一來自美國首都華盛頓。清朝道光初年（1821-1850）發現於山東梁山的大保簋已經消失了很久，[2]後來在一九六九年，Agnes E. Meyer 夫人將一件長期存放於她在紐約 Mount Kisco 的暑假寓所，她稱為「周簋」的銅器捐贈給史密斯學院的弗利爾展示廳。[3]當展示廳的負責人收到銅器之後，他們驚訝地發現

---

[1] 除了本文所討論的青銅器外，還有很多的重要器都不是在陝西周原發現的，例如在江蘇丹徒發掘的宜侯矢簋（關於此器的出處，見註2）、在河南汲縣或濬縣發現的康侯簋（關於此器的發現，見註44）、在洛陽附近發現的令簋和令彝、從河北到遼寧省發現的由邢侯所鑄的銅器。值得注意的是，這些幾乎都是西周早期的器物。西周末期的出土器，除了少數不重要的例子之外，幾乎都是在今日陝西一帶所挖掘出來。這樣的分佈可能反映出西周末期周王朝的影響勢力已大幅縮減範圍。

[2] 這件器物的圖版與銘文，近代第一次出現，是在徐宗幹（1796-1866 年）的《濟州金石志》中（前序的日期是1843年）。此後，這篇銘文至少在大多數重要的銅器銘文研究中被提及。一九六三年以前的研究概況，可以參看白川靜：《金文通釋》，收入《白鶴美術館誌》（神戶：白鶴美術館，1962-1984 年）。《金文通釋》這本書除了提供給我們白川靜的看法之外，也可以當作很方便的金文釋文研究參考書。

[3] 有關這件捐贈及跟它有關的器物（包括白川靜《金文通釋》沒有提出的資料）可以參考 Thomas Lawton, "A Group of Early Western Chou Period Bronze Vessels," *Ars Orientalis* 10 (1975): 111-121, 190-192。至於有關此銅器的最新研究，可以參考陳壽：〈大保簋的復出和大保諸器〉，《考古與文物》，1980年第4期，頁23-30。

自己擁有了在當時被許多人稱為西周最早的銅器。[4]

　　雖然一九七六年發現的利簋——一件提及武王在甲子日克商，同時紀念八天後發生的一件事情——已肯定取代了大保簋作為西周最早的銅器[5]，但大保簋仍是西周早期歷史的一項極為重要的史料。的確，可以從歷史或史學觀點認為大保簋更為重要。利簋的鑄造者在其他歷史記錄中從未出現過[6]，但是大保簋是為周朝的元老之一大保奭（即召公）所鑄造的，同一時期傳統文獻已經多次提到了他。[7]此外，大保奭

---

[4]　大豐簋，或者現在通常被稱作天亡簋的器物，在過去以及現在一直被大部分學者認為它是武王時期（公元前 1049/45-1043）的器物，但也有許多學者認為它是武王滅商之前的器物，而視之為前朝遺物，例如孫作雲：〈說天亡簋為王滅商以前銅器〉，《文物參考資料》，1958 年第 1 期，頁 57-64。而下面提出的利簋那時候還沒有被發掘出來。

[5]　關於利簋圖片與銘文的詳細完整說明，請參考 Wen Fong, ed., *The Great Bronze Age of China* (New York: Metropolitan Museum of Art, 1980), 203, 215。在近期（白川靜《金文通釋》未提及）的相關研究，最值得一提的是徐中舒：〈西周「利簋」銘文簡釋〉，《四川大學學報（社會科學）》，1980 年第 2 期，頁 109-110、103；以及嚴一萍：〈從利簋銘看伐紂年〉，《中國文字》，1983 年新版第 8 期，頁 1-22。筆者本人對於此器物的研究，包括有關它全部銘文的註譯，都收錄在筆者的 *Sources of Western Zhou History:Inscribed Bronzed Vessels* (Berkeley: University of California Press, 1991), 87-105。

[6]　利簋是為旝公而鑄造的。唐蘭認為：「旝」就是「檀」，所以他覺得檀公就是在幾個早期銘文中曾記載的武王將領之一的檀伯達（〈西周時代最早的一件銅器「利簋」銘文解釋〉，《文物》，1977 年第 8 期，頁 8）。文獻中的檀伯達，見於《逸周書・克殷》（四部備要本），卷 4，頁 3b。關於它的歷史重要性的詳細討論（雖然其背景不盡相同），可參考貝塚茂樹：〈新出檀伯達器考〉，《東方學報》第 8 期（1937 年）；重印於《貝塚茂樹著作集》（東京：中央公論社，1977 年），冊 3，頁 171-214。按照唐氏提出的看法，「達」字和利簋鑄造者的名號——也就是有尖銳意思的「利」字是相關的，猶如「名」與「字」的關係一樣，所以利簋的「利」，可能指的就是檀伯達。

[7]　「召公奭」最為人所知的文字記載，就是見存於《尚書》的〈召誥〉，記錄的是召公上呈成王（公元前 1042/1035-1006）的一份報告；與〈君奭〉，記錄的是周公對召公的談話。召公奭也是燕國的創始人，可參見《史記・燕召公世家》(中華書局

還在其他至少五件重要的銅器銘文中扮演重要角色，它們都鑄造於成
王（公元前 1042/1035-1006）和康王（公元前 1005/1003-978）[8]年間。
由此看來，它例證了銅器研究的重要方法之一，即通過人名將兩個或
兩個以上的銅器聯繫在一起[9]。基於這兩個原因，似乎有必要重新檢視

本），頁 1549-1550。我們之後還要在記載成王的死亡與康王（公元前 1005/1003-
978）即位的《尚書・顧命》觀察到他扮演的角色。

[8] 關於本文所提出的西周早期年表，可參見 David S. Nivison, "The Dates of Western
Chou," *Harvard Journal of Asiatic Studies* 43.2 (1983): 481-580。另可參見筆者 Edward
L. Shaughnessy, "The 'Current' Bamboo Annals and the Date of the Zhou Conquest of
Shang," *Early China* 11-12 (1985-1987): 33-60。此外，筆者的 *Sources of Western
Zhou History*, 217-287，亦針對西周年表提供全面的討論。

[9] 除了同樣提到太保奭的青銅器之外，大保簋還屬於另外一組青銅器，亦即與他同時
被發掘的一組青銅器。如同上面提到的，大保簋是十九世紀在山東梁山跟其他六個
器物一起被發掘的，這一組同時出土的青銅，很快就被稱為「梁山七器」。這些
銅器都顯然在不同方面跟大保奭有關。除了大保簋以外，這一組青銅器還包括兩個
上面有銘文的方鼎，上頭簡單地寫著「大保鑄」。另外三個器物，則看起來是為了
大保或他的後人所鑄造的；大保的後人也被稱為召公，世襲燕州（今北京）為中心
的這一片土地。其中銘文最長的是伯憲鼎很有可能它是晚大保簋兩代之後的器物。

〈伯憲鼎〉
唯九月既生霸辛酉，在燕。
侯賜憲貝、金，
揚侯休，用作召伯父辛寶𣄃彝。
憲萬年子子孫孫寶。光用大保。

這一組銅器群中，最早期、同時也最有名的是小臣𧽊尊，因為它屬於舊金山亞洲
藝術博物館的 Avery Brundage Collection，所以它在西方比較常用的名稱是「The
Brundage Rhino」，參見 Rene Yvon d'Argence, *Chinese Treasures from the Avery
Brundage Collection* (San Francisco: Asian Art Museum, 1968), 139。這件銅器是商晚
期，而不是西周時代的器物。有證據顯示，鑄造這件銅器的商人，其氏與分封大保
的封地是同一來源的；參見下文註 15。不論這種看法是否可信，筆者認為完全有
可能小臣𧽊尊是屬於大保的戰利品，所以才會被大保的傳人將它跟別的銅器埋藏
在一起。有關「梁山七器」的傑出研究，可參見 Thomas Lawton, "A Group of Early
Western Chou Period Bronze Vessels," 與陳壽的〈大保簋的復出和大保諸器〉。

再度發現的大保簋及其銘文與歷史背景，連同其他為大保奭所鑄造或提及他的銅器。

　　大保簋在很多方面跟利簋很類似：兩者的紋飾都是很明顯、強有力的獸面紋，它的兩個把手上頭是帶角的獸首形，並有大長方形的配飾從下曲線垂下。雖然大保簋不像利簋是方形底座，可是它的足相對較高，使得銅器整體看起來很高。大保簋的銘文也很像利簋，它包括四行共三十四個字，字體比較長，大小也不一樣。最後，利簋與大保簋這二篇銘文的內容都跟周伐商這件事有關。只不過大保簋銘文記載的攻伐，並非武王親征帝辛、最後以征服結束的那一次，而是之後若干年的第二次攻伐。此時武王已逝，征伐的對象是帝辛的兒子祿父（以其諡號武庚為人所知）。儘管大保簋的銘文之前已被翻譯過，但還是值得我們仔細思考[10]。

〈大保簋〉

王伐彔子耴[11]𢽲[12]厥反王

---

[10] 有關中文評論與日文譯本可參考白川靜《金文通釋》。至於最早的西方語言的譯本，可參考 Max Loehr, "Bronzentexte der Chou-Zeit: Chou I (1)," *Sinologische Arbeiten* 2 (1944): 59-70；而英文譯本，則可參考 W.A.C.H. Dobson, *Early Archaic Chinese* (Toronto: University of Toronto Press, 1962), 190；Lawton, "A Group of Early Western Chou Period Bronze Vessels," 119-120。

[11] 大部分的註釋者認為「彔子」指的就是祿父。他在周伐之後，被周王封為商朝遺民的名義上的諸侯。在歷史資料上他通常以他的諡號「武庚」被稱呼。至於接下來的一個字就比較沒有共識，通常被隸定作「聖」。白川靜《金文通釋》認為它是彔子的名，並引用一件銅器上的銘文：「天子聖作父丁彝」；此器之資料可見於吳大澂：《愙齋集古錄》（1896 年），卷 21，頁 9。白川靜《金文通釋》也認為只有祿父如此身分的人物才敢挪用「天子」的稱號。

[12] 𢽲這個字，一般在西周的銅器銘文中作為語氣詞的用法，所以很多學者認為在這邊它也是一個語氣詞（參見楊樹達：《積微居金文說》（北京：科學出版社，1959 年），頁 87。可是從句法的角度來看，它的用法應該是動詞，所以《說文》所云之「叉卑也」，以及段玉裁（1735-1815）註解的「用手自高取下也」（《說文解字段

降征令_于大保克

苟亡¹³曾 王彶¹⁴大保易休

余¹⁵土用茲彝對令

　　根據有關西周建國的相對眾多史料可知，武王在牧野之戰滅商之後，很快地分封他的家族來建立新王朝的行政結構。他的最大的弟弟管叔鮮被派去商朝故都，看守戰敗的殷商遺民及其名義上的領袖祿父（也就是武庚）。參與這個在征服地區維持秩序的重要任務的，還有文王十個嫡系子中排行第五和第八的蔡叔度與霍叔處。¹⁶武王的二弟

注》〔四部備要本〕，卷3B，頁13a）是比較恰當的。

13　關於這個困難句子的相關證據，可參見Lawton, "A Group of Early Western Chou Period Bronze Vessels," 119n45。

14　這個字的解釋，問題較複雜，相關釋讀有：吳式芬的「道（導）」（見《攈古錄金文》〔1895年〕，卷2,3，頁82）；劉心源的「徥」（見《奇觚室吉金文述》〔1902年〕，卷3，頁32）；郭沫若的「派」（見《兩周金文辭大系圖錄考釋》〔1935年；北京：科學出版社，1958年再版〕，頁27）；以及羅覃（Thomas Lawton）的「取」，（見"A Group of Early Western Chou Period Bronze Vessels," 119n46），這幾種說法從字形的角度上看都不可信。根據高田忠周：《古籀篇》（東京：古籀篇刊行會，1925年），卷64，頁28b，白川靜《金文通釋》提出這個字與「永」字有平行之處，然「永」一般是一個修飾詞語。從這個句子比較清楚的上下文來看，它應該有動詞的用法，有讚美的意思。所以白川靜認為它的用法跟戰國時期的「則永祐福」很類似，而有「使……永恆」的意思。

15　不僅僅是地點，甚至連這個地名的釋讀，都是還沒解決的問題。一般來說，學者認為它是「余」，也就是「徐」原來的字體（即今山東省南部的古州名）。關於這個問題，陳壽提出很有意思的看法。這個州的名稱與「小臣艅」，也就是跟大保簋一起在山東梁山被發掘的小臣艅尊（或稱Brundage Rhino，參見本文註9），見陳壽：〈大保簋的復出和大保諸器〉，頁25。可是郭沫若認為這個漢字的下面「木」的部分，跟古代的「余」字的字體不一樣（《兩周金文辭大系圖錄考釋》，頁27b）；還可參見Lochr, "Bronzentexte," 33-34。所以在這些觀察基礎上，白川靜《金文通釋》提出「宋」這個讀法，「宋」也是後來與商人聯繫一起的國名。

16　按照《史記·管蔡世家》（卷35，頁1570）所載，文王的十個兒子，分別是攻伐之前過世的「考」、「發」（也就是武王）、「鮮」、「旦」（也就是周公）、「度」、

周公旦留在周都擔任大師或者就是首相的職位。在這個職位上，他與
同父異母的哥哥，即「大保」召公奭共同分攤權力。[17]

　　武王滅商兩年之後就過世了。儘管此時政府組織已經完成，可是
他的兒子成王還沒成年。[18] 在新王朝政局不穩之時，周公顯然是在自
己主動的情況下，獨攬了皇權。[19] 關於這個時期的史料都受到後世周

　　「振鐸」（也就是曹叔）、「武」（也就是成叔）、「處」、「豐」（也就是康叔）、還有
　　「聃季載」。雖然《史記》以及隨後的文獻並沒有提到在這十個兄弟裡的霍叔處，
　　是被派去看守殷商舊地，然而《逸周書·作雒》（卷5，頁7a）卻清楚記載著他接
　　受了這項的任務。

17　現代學者與古代歷史學家很少注意到大保奭這個人。比方說：司馬遷（公元前140-
　　86）只有提到召公奭跟周一樣為姬姓（《史記》，卷34，頁1549）。班固（32-92）也
　　同樣只說起他是「文王子也」，引自《白虎通疏證》（中國子學名著集成本），卷
　　7，頁14a；頁383。皇甫謐（215-282）則提出「邵公為文王之庶子」，見於徐宗元
　　編：《帝王世紀輯存》（北京：中華書局，1964年），頁86。王充（27-97）《論衡》
　　裡很清楚地提出奭是周公同父異母的哥哥。這最後一處記載出現在關於長壽的歷史
　　人物的討論中。關於大保的生卒年，可參見註21。關於大保的生平的精彩討論，
　　可以參見龐懷靖：〈跋大保玉戈——兼論召公奭的有關問題〉，《考古與文物》，
　　1986年第1期，頁70-73。

18　最早期的文獻說武王過世的時候，成王「在襁褓之中」，見《淮南子》（四部備要
　　本），卷21，頁6b，以及《史記》，卷33，頁1518。不過這種說法應該視為藉以說
　　明成王年幼繼位的婉轉說詞。關於武王過世時，成王的年齡有兩種矛盾的說法：
　　賈誼（公元前201-169）的《新書》說他是六歲（《新書》〔四部備要本〕，卷9，
　　頁12a）。這種說法可能在鄭玄（127-200）處得到佐證，他認為成王是文王（公元
　　前1099-1050年在位）死亡那一年出生的；《毛詩正義》（卷81，頁2b）。可是在別
　　的地方，鄭玄說成王服三年之喪以後，即位時已滿十三歲。《尚書注》（鄭氏遺書
　　本），卷7，頁5a。許慎（卒於146年）《五經異義》（漢魏遺書鈔本），卷2，頁3b-
　　4a）引《古尚書》也提出一樣的數字。這個爭議很重要，因為它會提供給我們古代
　　中國的成人年齡的概念：按前者推算的結果是在十五歲即位，按後者推算的結果是
　　在二十歲即位。

19　近來關於周公是當攝政者或者是篡位為王的問題，有一個較有新意的解釋，是對
　　西周史的重新解釋。在一系列的論文中，松本雅明認為許多《尚書》早期篇章中
　　的「王」，指的是周公而不是指成王（參見〈周公即位考〉，《史學雜誌》，第77
　　卷，第6期〔1968年〕，頁1-37）。他還建議在一些早期的西周銅器銘文上重新審

公傳說的影響，從對他最有利的角度來表現他的所有行為。[20]

　　然而，毫無疑問的，周公的哥哥管叔鮮將周公的行為視為篡位，他聯合了東邊封域的兄弟們，以及武庚和殷商遺民一道反叛西邊朝廷。對此，朝廷的反應既快速又果決。在周公、召公奭、以及成王（至少在名義上）的聯合領導之下，武庚之亂三年之內就得到了徹底鎮壓。除了把管叔鮮和武庚處死，並且流放這些反叛的兄弟之外，朝廷還採取了進一步措施以避免未來的叛亂。其中之一就是征伐商領土外、位於今山東省的一些東部小國。這些小國被殖民於其他皇親國戚，土地的贈與就是對其忠誠和軍功的獎賞。最早如此的獎賞之一似乎就是大保簋的紀念對象，這也確認了大保奭在反叛鎮壓中的角色。

　　雖然大保奭只是武王與周公同父異母的兄弟，但因為他戰功赫赫，而且壽命出奇地長[21]，所以使他成為周朝最重要的開國元老之

視，比方說大保簋所稱的「王」應該也是指周公。在本文中我不打算仔細討論這個問題，因為我們一方面有成王本身參加鎮壓武庚起義的證據（可參見《竹書紀年》），在描寫他統治第二到第五年的記載，這是筆者認為特別可靠的部分（請參見本書第三篇，尤其頁88，註47），另一方面，在這個戰役期間鑄造的別的銅器銘文上，他一般用的稱呼是周公（請參見本書第四篇，尤其頁106-107）。所以筆者覺得最少在大保簋的銘文上，「王」可以確定指的是成王。

[20] 有關周公生平以及後來產生的聖人化的傳說，請參考 Herrlee G. Creel, *The Origins of Statecraft in China, Vol. 1: The Western Chou Empire* (Chicago: University of Chicago Press, 1970), 69-78。

[21] 《竹書紀年》記載，武王五十四歲的時候過世了，也就是公元前一〇四三年（出處可參考 James Legge, *The Chinese Classics, Vol. 3: The Shoo King or the Book of Historical Documents* 〔1883; reprinted in. Hong Kong: Hong Kong University Press, 1960〕, prolegemona 144），說明他是公元前一〇九五年左右出生的。周公是王位繼承順位排行第三的武王之後的兄弟，應該在公元前一〇八五年之前就已出生。因為大保奭是周公同父異母的哥哥（《論衡》，卷1，頁12a，參見註17），所以他應該是早一點出生的。《竹書紀年》的另外一個地方提出，大保奭在康王二十四歲那一年死了（公元前982年；Legge, *The Shoo King*, prolegomena 149）。如果正確，這樣算起來，他應該活到一百多歲了。

一。的確，如果這一時期的歷史是基於銅器銘文寫成的，那麼大保的角色很可能比周公還重要。[22] 其生涯的大致軌跡（包括其最顯赫的戰功與後來他的長壽）都記載於若干西周銅器中，這些銅器由於提及了他的名字而可以跟大保簋聯繫在一起。其中有兩件與大保簋差不多同時，其年代大致可定為成王三年或四年，它們為大保奭在武庚叛亂中的角色提供了進一步信息。另外還有三件反映康王時期特徵的銅器，將年紀更長的大保奭描述為康王背後大權在握的人。[23] 這套銅器除了為此重要人物的生涯提供信息之外，還展示了銅器風格在西周前兩代君王統治時期的轉變，因此具有重要的方法論意義。

在這套銅器中，最有意思的是名為保卣與保尊的兩件（雖然它們更恰當的名稱應該是「征卣」與「征尊」[24]）。兩者都是一九四八年在

---

[22] 周公在銘文上被紀錄的活動，只跟他在鎮壓武庚叛亂時所扮演的角色有關。相同事蹟在三個器物的銘文上出現過：小臣單觶、禽簋、塱方鼎。關於提到周公的傳統史料與銘文的不同性質，請看 Noel Barnard, "Chou China: A Review of the Third Volume of Cheng Te-k'un's *Archaeology in China*," *Monumenta Serica* 24 (1965): 337-354。

[23] 除了這幾個提出大保名字的銅器之外，還有一些西周時期的文物也提起過大保。其中最有名的就是大保玉戈，也就是弗利爾展示廳收藏玉類武器中的屬侯玉戈。這些文物都是十九世紀末，據說在大保奭的墓挖掘出來的，請參見柯昌濟：《金文分域編》（1930 年餘園叢刻本），卷 12，頁 12a。關於這件器物的來源與它可能的歷史背景，可參見龐懷靖的〈跋大保玉戈〉，頁 70-73。其二十七個字的銘文：

〈大保玉戈〉
六月丙寅　王才（在）丰，令（命）大保省南或（國），帥漢，徣（出）寁（殷）南令屬厇（居）　辟用鼄（誅）　走百人

弗利爾展示廳還有一個有銘文的戟，它的一面有兩個字就是「大保」；請參見 Rutherford J. Gettens, Roy S. Clarke Jr., and W. T. Chase, "Two Early Chinese Bronze Weapons with Meteoritic Iron Blades," *Freer Gallery of Art Occasional Papers* 4.1 (1971): 66-67，但此文把銘文錯看成「天王子」。關於這個戟的討論，包括假設說「大保」這兩個字有可能指的是「大保」這個身分的後人，可參看馮蒸：〈關於西周初期太保奭的——件青銅兵器〉，《文物》，1977 年第 6 期，頁 50-54。

[24] 一般來說，有銘文銅器是為某人所鑄作，而器物就是以此人的名號所命名的。在這

洛陽被發掘的，保卣現存於上海博物館，而保尊現存於鄭州的河南省
博物館。兩器的銘文（同樣出現在器身和器蓋上）幾乎一樣，其中的
一些語言特徵需要更多的解釋：

〈征卣〉
乙卯王令保[25] 及[26]
殷東或五侯[27] 征[28]

個例子上，雖然大保在銘文中有重要的地位，但這件器物的主人卻不是大保，而是
大保的一個名征的下屬。這一點已被白川靜《金文通釋》充分的論證了。除了白川
靜以及他提到的研究，更近的研究還有平心：〈保卣銘新釋〉，《中華文史論叢》，
1979年第1期，頁49-79；孫稚雛：〈保卣銘文匯釋〉，《古文字研究》第5輯（1982
年），頁191-210。以及夏含夷：〈簡論保卣的作者問題〉，《上海博物館刊》，1990
年第5期，頁99-102。

[25] 關於「保」這個人物的身分有兩種假設。蔣大沂與平心都認為他是別的周器銘文
上所提到的「明保」，也是例如令彝銘文上提到的「周公子」；參見蔣大沂：〈保卣
銘考釋〉，《中華文史論叢》，1964年第5期，頁98，以及平心的〈保卣銘新釋〉，
頁49。不過大部分的學者認為這裡的「保」是大保夨（見黃盛璋：〈保卣銘的時代
與史實〉，《考古學報》，1957年第3期，頁57-59）。雖然銅器銘文與文獻提到大保
夨的時候，都用「太保」或「召公」這些名稱，可是有一定數量的例子僅稱他為
「保」。這一點，再加上銘文與文獻上關於他鎮壓武庚判亂，尤其是關於他攻伐東
部小國的證據，都顯示這個句子的「保」應該就是大保夨。

[26] 陳夢家認為這邊的「及」是連接詞，因此句子的意思是「王令保及殷東五個君主」
（參見〈西周銅器斷代〉，《考古學報》，1955年第9期，頁157），可是黃盛章表示
「及」作為連接詞應是時代晚一點才開始的用法（〈保卣銘的時代與史實〉，頁51-
56）。「及」字是從後面伸手抓人的象形，意思就是「達及」。商代甲骨文的「及」
就有這個意思，相關的討論見李孝定：《甲骨文字集釋》（臺北：中央研究院歷史
語言所，1965年），冊3，頁915-18。

[27] 大部分的註釋者在「侯」下斷句，而白川靜《金文通釋》則在「或」下斷句，他認
為「五」是地名而「五侯征」是人物的名稱，同時也是下一個句子的主詞。此說亦
見於孫稚雛（〈保卣銘文匯釋〉，頁194），而平心（〈保卣銘新釋〉，頁62-63）則
有稍微不同的看法。雖然這樣的解釋符合下一個句子的語法，但不僅將「征」看作
是名字以外的用法沒有任何語法上的需要，而且我們完全沒有「五國」存在的證明。

[28] 許多註釋者認為這裡的「征」是虛辭，但這樣說來，這個句子就缺少主詞，所以筆

兄六品²⁹ 蔑曆³⁰ 于³¹

保易寶用作文

父癸宗寶尊彝遘

于四方迨王大祀祒

于周才二月既望³²

　　如果銘文沒有提起大保、提及「在周」舉行的祭祀以及提及「既望」的月相，很容易就讓人誤判為商朝末期的銘文。陳夢家指出，征

者認為「征」是專名，不僅是這句話的主詞，也是這個器物的主人。相關的討論請見夏含夷：〈簡論保卣的作者問題〉。

29　郭沫若認為「兄」是「荒」的假借，它的賓語是「六品」，也就是殷與五個君主（〈保卣銘釋文〉，《考古學報》，1958 年第 1 期，頁 1-2）。更恰當的解釋是把「兄」看成「既」的本字，跟折觥銘文「令作冊折兄望土于柜侯」一樣。郭氏自己就指出「品」在西周時期常常是為了列舉不同的獎品（例如：玉品、土地與人力）而用的。雖然指示對象沒有說明，可是很明顯地看得出來它列舉給征的獎品。這句子的文法解釋，可參見本文註 31 與下文頁 137。

30　一般來說「曆」是被隸定作「曆」，可是郭沫若指出，此字雖然後來的確寫作「曆」，但在此銘與商代甲骨文的先例中，它一定有「甘」的聲符；參見〈保卣銘釋文〉，頁 1。西周初期銘文上常用「蔑曆」的表述，但即使有許多詞源的臆測，它的具體涵義仍然不清；參見周法高：《金文詁林》（香港：香港中文大學出版社，1975 年），冊 4，頁 495。從上下文看，這個表述有稱頌軍功這樣的大略意思，還是清楚的。

31　在古代漢語與在標準的文言中，動詞後面的「于」可用來表示被動式的句子，而行動者則是「于」的賓語。這種文法特點的簡論，可參見楊五銘：〈西周金文被動句式簡論〉，《古文字研究》第 7 輯（1982 年），頁 309-317。

32　這件銘文上日期的紀錄結合了商與周的慣例。很有可能，「于四方迨王大祀于周」的大事紀年即《竹書紀年》所記錄的成王第四年，也就是鎮壓武庚起義與滅東國之後，「四年春正月，初朝于廟」；可參見比如 Legge, The Shoo King, prolegomena 145。這個推論似乎可以從農曆、月象與日期的紀錄所確定：「乙卯（第 52 日）……才二月即望」大略符合成王即位第四年（包含周公七年的攝政），也就是公元前一〇三九年的年曆，「乙卯」是那個月的第二十四天。

卣具有八個通常被認為是商朝而不是西周銅器銘文所具有的特點[33]，四個關於字形，四個關於句法。陳先生指出有四個字的字形與商代相似，卻與周代不同：第二行的「或」，第四行的「兒（睨）」，第四行的「厤（曆）苜」與第七行的「望」。他進一步提出四個句法方面的相同點：

1. 稱呼祖先時後面加了「宗」字。

2. 用「遘」來提示重要大事之紀年。

3.「徭」表示召集會議。

4. 分二處記錄日期，銘文以干支記「日」冠首，「年」與「月」則標示在銘文末尾。

我們還可以加上一點：獻器的對象「父癸」[34]顯示的是商人（或者至少是東方）的鑄器者，不僅因為其名為天干，而且是因為周器常用「考」字來稱呼已亡故的父親。

儘管銘文中對周朝祭祀的指涉無疑證明了此器是周朝所鑄[35]，但

---

[33] 參見陳夢家：〈西周銅器斷代（一）〉，頁159。

[34] 北宋呂大臨（1046-1092）在《考古圖》（1752年儀鄭堂本），卷1，頁4b、卷4，頁26a）已經觀察到，可以由祖先天干名而分別商朝與周朝的銘文。即使後來發現，呂大臨的論點與斷代無關，因為這樣的記錄方式見於許多明顯是西周時期所鑄造的銅器，比方說，很有名的史牆盤與別的屬於微氏家族窖藏的銅器都是顯著的例子。關於此窖藏可參見〈陝西扶鳳莊白——號西周青銅器窖藏發掘簡報〉，《文物》，1978年第3期，頁1-16。不過，這樣的記錄方式仍然顯示在兩個族群之間的一個深層的差異。若對此傳統解釋稍作修改，我們可以說，史牆與他的以天干稱謂的祖先，原來是商人或跟商人有關家族的傳人，而這種觀點也的確得到史牆盤的銘文的確認。同理，獻給父癸的「征卣」也說明征的祖先也是商人或東部的家族。

[35] 有如此的可能，而這個可能也在別的上下文中被提出過，就是商王帝辛曾在周首都舉行祭祀；可看看比如范毓周：〈試論滅商以前的商周關係〉，《史學月刊》，1981年第1期，頁15；不同的解釋的可見筆者論文：Edward L. Shaughnessy, "Zhouyuan Oracle-Bone Inscriptions: Entering the Research Stage?" *Early China* 11-12 (1985-1987): 159-162。這樣的解釋並沒有正式針對我們討論的器物所提出。

銘文的商代特徵表明鑄器者可能來自東方。多數對征卣銘文的研究忽略了這一點，但這一點卻能恰當解釋「征兄六品蔑曆𠂤保易賓」一句的含義。這個句子的文法很複雜，但動詞後面的「𠂤」明確顯示的是一個被動的句子[36]。既然此字前面的「蔑曆」一般被視作動賓短語，那麼這個分句等於沒有主詞。因此，完整的句子必然包含之前的分句，而且是複合結構：「征」是「兄六品」和「蔑曆」這兩個動賓短語的主詞。這樣一來，征應該是受賦予的人，只可能是專有名詞。作為對這一點的支持，有其他一些銅器銘文提到了洛陽附近「征」氏商族的存在[37]，因此，征卣銘文的正確解釋表示並非所有的殷商遺民都響應了武庚的叛亂，至少有些商人在大保奭的鎮壓軍隊中，並因此而受到褒獎。

　　第三個由東征而來的銅器也由大保奭的部下所鑄，以紀念大保奭的一次獎賞。旅鼎是一件極有代表性的成王時期鼎器。器身保留了商代的饕餮紋，有長型的圓筒足以及器身腹範分作三葉的形式，這些都是當時器物的代表特徵[38]。儘管銘文有幾處被磨損，但仍可以清楚看出其細長字體是跟利簋、大保簋的風格一致的[39]。

36　參見本文註31。

37　欲知這些銅器可參見白川靜《金文通釋》。在這邊特別重要的是征鼎，它的來源可參見容庚的《善齋彝器圖錄》（北京：哈佛燕京學社，1936年），頁14。雖然白川靜很正確地提出這些銅器家姓跟征卣的關係，可是因為他把第二行的「五」看成地名（參見本文註27），所以它們之間的地理關係就看不出來。這個問題更詳細的討論可參見夏含夷：〈簡論保卣的作者問題〉。

38　這個銅器跟獻侯鼎很像。它的銘文上有成王統治的記載，也因此被視為成王時代的標準器。

39　因為這篇銘文的文法及詞彙相當簡單，所以它沒有受到很多的注意。除了白川靜《金文通釋》所提供的討論之外，還可參見羅越（Max Loehr）帶有注釋的翻譯："Bronzentexte," 51-8，以及郭沫若：《兩周金文辭大系圖錄考釋》（頁27a）、陳夢家〈西周銅器斷代（一）〉（頁170）中的簡略討論。

〈旅鼎〉

　佳公大保來[40]

　伐反夷年才

　十又一月庚申[41]公

　才盩白[42]公易

　旅貝十朋旅用

　旅父障彝

　　在這次關鍵性的叛變鎮壓之後，成王成功繼位，並鞏固了周朝在曾是商領土的東、西部分的統治。然而，除了與在洛陽興建東都有關的文獻（最近發現的柯尊銘文對此有所補充[43]），以及零星的分封新

40　古代作為動詞的「來」，可參見 Loehr, "Bronzentexte," 53；以及陳夢家，《殷墟卜辭綜述》（北京：科學出版社，1956年），頁304。

41　西周初期銅器銘文的日期記載不如西周末期來得完全，可是如果我們結合關於此器的歷史背景的推論與西周初期對於儀式的記載資料，有可能我們可以找出它的日期。在上文關於「征卣」日期的討論（註32），我按照《竹書紀年》的記載，東部的叛亂在成王統治的第三年被鎮壓，而召集諸侯則是在隔年舉行的。如果假設大保「來伐反夷」的時候，就是周王召集諸侯的那一年，而且他選了一個吉日獎賞旅，那麼「庚申」就是公元前一〇三九年也就是成王四年的「朏」（「朏」在西周初期的時候指的是初二或初三）或許就不是偶然的。

42　關於「盩」的地點，學者並沒有共識。方濬益：《綴遺齋彝器款識考釋》（〔上海：商務印書館，1935年〕，卷4，頁2）認為就是陝西的盩厔縣，位於周人在岐山的發源地與周都兩地之間，而此地名至漢朝時已常見於文獻了。另一方面，白川靜《金文通釋》認為此地應該位於剛剛征服的東部，可是他沒有提出任何的歷史地理的證據。如果大事紀年中的「來伐」有「從攻伐回來」的意思，那麼這似乎支持位於陝西的說法。

43　柯尊原來是一九六三年挖掘出土的，可是它的銘文——共有一二二字，幾乎肯定是成王時期最長的——卻到一九七六年才通過除鏽而公諸於世。此銘文明確記錄周王建立東都於洛陽後所作的一次宣告，在很多方面令人聯想起《尚書》的〈大誥〉與〈多士〉這二篇。此銅器的研究除了白川靜《金文通釋》所摘要的以外，還有馬承源：〈何尊銘文初釋〉，見於吳澤所編的《王國維學術研究論集》（上海：

諸侯的記載[44]，成王後期的史料大體上是一片空白。在傳統史學中，司馬遷（公元前145-86）為這一時期直到康王早期的歷史階段提供了簡練而顯然是精確的描述：「成康之際，天下安寧，刑錯四十餘年不用」[45]。的確，《竹書紀年》裡更完整的記載表明，成王餘下三十七年的統治（包含周公攝政的七年），王權都沒有受到任何挑戰。

但是成王在公元前一〇〇六年過世之後，周王室面臨的是王位繼承權的制度化問題。依然健在的開國元老（大保奭是其中的重量級人物）一定想起了武王死後混亂的權力交接所帶來的毀滅性後果。無怪乎《尚書》詳細記載了使康王即位具有合法性的儀式。其中的〈顧命〉一篇很特別地突出表明了大保奭當時的顯赫地位，值得全文引用[46]：

華東師範大學出版，1983 年），頁45-61；Michael F. Carson "Some Grammatical and Graphical Problems in the Ho Tsun Inscription" *Early China* 4 (1978-1979): 41-44；*The Great Bronze Age of China*, 203-204；李學勤：〈何尊新釋〉，《中原文物》，1981 年第 1 期，頁 35-39、45。

[44] 如此冊封的其中一個例子在著名康侯簋上被記錄。此銅器據報導是一九三一年在河南的汲縣或濬縣挖掘出土，現存於倫敦大英博物館。一九三六年，在倫敦 Burlington 展覽會上，成為了最早吸引西方學者注意的西周銅器之一；可參見 W. Perceval Yetts, "An Early Chou Bronze," *Burlington Magazine* 1937, 147-177；Herrlee G. Creel, *The Birth of China* (New York: Frederick Ungar, 1937), 234。此銅器的重要性一直沒有被忽略，最主要的是它提到康侯，文王十個兒子之中的第九個，也見於《尚書》的一些篇章中。關於此篇銘文的研究，除了白川靜《金文通釋》的綜述以外，包括張光遠：〈西周康侯簋考釋──兼論衛都地點及周初兩次伐商的銅器實錄〉（《故宮集刊》，第 14 卷，第 3 期〔1980 年〕，頁 69-96）、周永珍：〈釋康侯簋〉（《古文字研究》第 9 輯〔1984 年〕，頁 295-303）。關於冊封的更詳細記載，可以在成王統治末期所鑄造的麥尊銘文上找到。此銘文記載關於邢國（在今河北南部的邢臺）的成立，也提到從洛陽附近一個諸侯國派任君主來治理一事。相關研究，包括完整的翻譯可參見 Edward L. Shaughnessy, "Historical Geography and the Extent of the Earliest Chinese Kingdoms" *Asia Major*, third series, 2.2 (1989), 19-20。

[45] 《史記》，卷 4，頁 134。

[46] 高本漢的註釋，可以參見 *Glosses on the Book of Documents* (Stockholm: Museum of

惟四月，哉生魄，王不懌。甲子，王乃洮頮水，相被冕服，憑
玉几。乃同召太保奭、芮伯、彤伯、畢公、衛侯、毛公、師
氏、虎臣、百尹、御事。王曰：

「嗚呼！疾大漸，惟幾；病日臻，既彌留，恐不獲誓言嗣，茲
予審訓命汝。昔君文王、武王，宣重光，奠麗陳教則肆；肆不
違，用克達殷集大命。在後之侗，敬迓天威，嗣守文武大訓，
無敢昏逾。今天降疾、殆，弗興弗悟；爾尚明時朕言，用敬保
元子釗，弘濟于艱難。柔遠能邇，安勸小大庶邦。思夫人自亂
于威儀，爾無以釗冒貢于非幾。」

茲既受命還，出綴衣于庭。越翼日乙丑，王崩。

大保命仲桓、南宮毛，俾爰齊侯呂伋，以二干戈、虎賁百人，
逆子釗於南門之外；延入翼室，恤宅宗。丁卯，命作冊度。越
七日癸酉，伯相命士須材。……

王麻冕黼裳，由賓階隮。卿士邦君，麻冕蟻裳，入即位。
大保、大史、大宗，皆麻冕彤裳。大保承介圭，上宗奉同
（瑁[47]），由阼階隮。大史秉書，由賓階隮，御王冊命。曰：

皇后憑玉几，道揚末命，命汝嗣訓，臨君周邦，率循大卞，燮
和天下，用答揚文武之光訓。

王再拜，興。答曰：

「眇眇予末小子，其能而亂四方，以敬忌天威？」乃受同、

Far Eastern Antiquities, 1970)。因為這裡的引用，主要目的在呈現大保奭於周朝初期
第一次新王穩定即位的過程中所扮演的角色，所以除了個別校訂的注釋以外，筆者
不提供一個完整校勘記。

47 我認為在此處「瑁」應是「同」字的注釋，可刪，而按照虞翻（170-239）的意
見，「同」原來的寫法與「瑁」近似。鄭玄（127-200）提出「同」有酒杯的意思。
高本漢說此字是「𤭖」字原來字形的訛誤通叚，有一定的說服力，但讀作「瓚」則
不可取。相關討論可參見 Karlgren, *Glosses*, no. 1998。

瑁，王三宿，三祭，三咤。上宗曰：「饗。」大保受同，降。盥，以異同，秉璋，以酢祭嚌（宅）[48]。授宗人同；拜，王答拜。大保受同，授宗人同；拜，王答拜。大保降，收。諸侯出廟門俟。

王出，在應門之內。大保率西方諸侯，入應門左；畢公率東方諸侯，入應門右。皆布乘[49]黃朱。賓稱奉圭兼幣，曰：「一二臣衛，敢執壤奠。」皆再拜稽首。王義嗣德[50]，答拜。大保暨芮伯，咸進，相揖，皆再拜稽首。曰：

「敢敬告天子，皇天改大邦殷之命，惟周文武，誕受羑若，克恤西土。惟新陟王，畢協賞罰，戡定厥功，用敷遺後人休。今王敬之哉！張皇六師，無壞我高祖寡命。」

王若曰：

「庶邦侯、甸、男、衛！惟予一人釗報誥：昔君文武，丕平富，不務咎，底至齊，信用昭明于天下。則亦有熊羆之士、不二心之臣，保乂王家，用端命于上帝；皇天用訓厥道，付畀四方。乃命建侯樹屏，在我後之人。今予一二伯父，尚胥暨顧，綏爾先公之臣服于先王。雖爾身在外，乃心罔不在王室。用奉恤厥若，無遺鞠子羞。」

群公既皆聽命，相揖趨出。王釋冕，反喪服。

〈顧命〉賦予了大保奭一個禮儀性的角色，他引導諸侯跟成王做最後

---

48 此處讀「以酢祭嚌」，亦即以「以酢」連讀下文的「祭嚌」。下面幾乎完全重複此處的文字，我懷疑是因為抄寫時的訛誤。我也懷疑「祭嚌」後面的「宅」，原來應該是「嚌」字的註釋，而後不小心地變成文本的一部分。

49 此處「布乘」，筆者按照高本漢的說法（*Glosses*, no. 2009），讀作「䋣苿」。

50 此處「德」字，筆者按照俞樾（1821-1906）與高本漢的說法（*Glosses*, no. 2011）讀作「特損」。

的觀見，在康王加冕時向祖先奠酒，並向新王宣讀命令。所有這些都
顯示出他是當時最受尊敬的官員，此時距離大保簋的時代已經超過
三十年了。不僅如此，大保奭不僅活到了成王和康王順利的交接，而
且如果《竹書紀年》不誤，那麼他還一直活到了康王末期。儘管這樣
一來他活了將近一百歲，但這個年齡至少部分可被其他三件銅器證
實，這些銅器都提到他的名字，而且幾乎肯定屬於康王時期。的確，
其中之一的作冊大方鼎還被列為康王時代的「標準器」，因為它以諡
號稱呼成王[51]。

〈作冊大方鼎〉
公柬[52]鑄武王
成王異鼎[53]隹四

---

[51] 作冊大方鼎發現於一九二九年在洛陽近郊出土的銅器群。這些銅器中也包括了很有
名、同時也很有爭議的令彝、令尊與令簋。目前令彝屬於弗利爾展覽廳的收藏。
關於這個發現的最新研究，可以參考 Noel Barnard, "The Nieh Ling Yi," *The Journal
of the Institute of Chinese Studies of the Chinese University of Hong Kong* 9.2 (1978),
585-627。其他有關作冊大方鼎銘文的翻譯，可參閱 Loehr, "Bronzentexte," 81-91；
John A. Pope, R.J. Gettens, J.Cahill and N.Barnard, *The Freer Chinese Bronzes*, vol. 1
(Washington, D.C.: Smithsonian Institution, 1967), 194-195。關於這個發現以及其史學
的重要性，可以參考我的 Shaughnessy, "The 'Ling yi' and the Kang Gong," *Sources of
Western Zhou History*, 193-216。

[52] 毫無疑問的，這個字當然是「柬」。郭沫若與陳夢家都說明很可能就是「奭」也就
是大保的名字的假借，參見郭沫若：《兩周金文辭大系圖錄考釋》，頁33b；陳夢
家：〈西周銅器斷代（三）〉，《考古學報》，1956年第1期，頁88。不過楊樹達認
為，按照這段的句法，這個字應該是「來」，而這兩個字的字形很類似（《積微居
金文說》，頁164-165）。此外，他認為，如果此公是以他的爵位與名字為稱謂，
那麼第四行「公賞乍冊」這一句，也應該包括他的名字才一致。可是因為第四行
「公」後面的文字並沒有他的名字，所以很有可能「柬」是寫錯的「來」。康侯簋
銘文一開始的「王柬（柬：來）伐商邑」似乎也有相同的情形。

[53] 「異鼎」的意思不清楚。一方面，郭沫若在《說文》（卷1A，頁5a）提供的基礎
上，指出「異」是「祀」原來的寫法（《兩周金文辭大系圖錄考釋》，頁33b）。

月既生霸己

丑公賞乍冊

大白馬大揚

皇天尹大保

宜用乍祖丁

寶障彝鳥

在這篇銘文中，大保被稱頌為「天尹」。從另外兩個同時期的銅器看來，大保雖然沒有受到同等榮耀的嘉獎，然而其實際待遇卻更加尊榮。這兩篇銅器銘文都提到，身居高位的官員派手下服侍大保，而大保也贈予他們禮物。

其中的第一件董鼎可以說是康王標準器大盂鼎的複製，它紀念了匽侯（大保的兒子或孫子）發起的一個類似的任務[54]。

〈董鼎〉

匽侯令董餼

大保于宗周庚申

大保賞董貝用乍

大子癸寶障彝烟

另一方面，陳夢家利用《廣韻》（卷5，頁41a）的定義，認為「異」是一種大鼎（〈西周銅器斷代（三）〉，頁87-88）。陳氏進一步認為，由「梁山七器」中的兩件大保方鼎分別屬於一雙成對的銅器，而每一對的第二件器物應該分別標示出「武王」和「成王」，而此處所提到的就是這些器物的鑄造。可以作為印證的是，在堪薩斯城的Nelson-Atkins藝術博物館就有一件跟成王方鼎在外表上跟現存的那一件大保方鼎很相似。

[54] 董鼎發現於一九七五年，在北京西南部的琉璃河，也就是昔日大保奭家族所建立的燕國首都的所在地。這件銅器發表在《中國古青銅器選》（北京：文物出版社，1975年），頁25；以及晏琬：〈北京遼寧出土銅器與周初的燕〉（《考古》，1975年第5期，頁274-279、270）。另外一件跟燕有關的銅器銘文，可參見上文註9。

第二件形狀奇特的銅器叫做叔慎器[55]，它作為王姜發起的類似任務的記載是十分重要的。在西周早期銅器的研究中，這位王姜的身分是最重要的斷代問題之一的核心。儘管這個問題太複雜，無法在此交代清楚，但可以說她是周室的一位王后，有可能是康王的[56]。

〈叔慎器〉

佳王粦于宗周

王姜史叔吏于大

保賞叔鬱邑白

金🔲[57]牛叔對大保

休用乍寶撙彝

這裡需要重申的是：這三件銅器之所以重要，不僅因為它們提供了大保簋晚年生涯的記錄，而且因為在史學上，它們展示了在大保簋

---

[55] 按照陳夢家的說法，一九五一年時這件銅器曾隸屬於浙江省文物管理委員會，與一些偽造物放置在一起。在他個人檢查之後，陳氏確定此銅器應該是真品（〈西周銅器斷代（三）〉，頁65）。不過，除了陳夢家與白川靜《金文通釋》的簡短的討論以外，這件銅器並沒有引起其他學者的注意。

[56] 到目前為止的研究，有學者認為王姜是武王的妻子；見於郭沫若：〈關於鄘縣大鼎銘辭考釋〉，《文物》，1972年第7期，頁2；Sunjoo Pang, "The Consorts of King Wu and King Wen in the Bronze Inscriptions of Early Chou," *Monumenta Serica* 33 (1977-1978): 124-135。有學者認為是成王的配偶；陳夢家：〈西周銅器斷代（四）〉，《考古學報》，1956年第1期，頁78。有學者認為是康王的配偶；見於唐蘭：〈西周銅器斷代中的康宮問題〉，《考古學報》，1962年第1期，頁15-48。最後，也有學者認為是昭王（公元前977/975-957年）的配偶；唐蘭：〈論周昭王時代的青銅器銘刻〉，《古文字研究》第2輯（1981年），頁115-118。關於此問題，筆者有較仔細的討論在 Shaughnessy, "The 'Ling yi' and the Kang Gong," *Sources of Western Zhou History*, 193-216。

[57] 陳夢家建議這個字應該釋作「埜」，但是沒有進一步的討論；〈西周銅器斷代（三）〉，頁65。白川靜《金文通釋》認為這個字無法辨識，可是按照上下文來看，它應該表示牛的顏色。

生活時代青銅器風格的轉變，而我們已指出這足足跨越了西周初年的
兩個世代。正如大保確保了政權交接的規則化那樣，青銅器的風格也
可被說是在向規則化發展。這一點在銘文的書法、器形以及紋飾上都
可以看到。比方說，西周初年修長至失去比例的字體，在康王時代已
經呈現方形的趨勢。與此相應的是，整篇銘文的空間分佈也有越來越
符合筆力的傾向；不僅直線的劃分分明，整齊的橫行也開始出現在晚
期銘文中。就形制與紋飾而言，比較這組裡最早的旅鼎和可能是最晚
的董鼎也能看出規則化的傾向。這一點可以在三個方面看出：首先是
覆蓋了旅鼎全身的突出的饕餮紋，在董鼎就被器口下的線條紋取代；
其次，旅鼎修長而纖細的足變成了董鼎短而粗壯的足；第三，旅鼎的
三葉腹範變成了一道平滑持續的曲綫。將若干銅器歸為一組已經成了
研究西周銅器最重要的方法之一，因為這樣才能做出如上的比較。而
大保簋及其相關銅器恰當的佔據著西周早期銅器裡最重要的地位。

（楊濟襄、周博群　譯）

6

由頌辭到文學
——《詩經》早期作品的儀式背景

　　當代對於禮儀本質最重要的詮釋之一來自人類學家對禮儀行為的觀察。然而古代文明的詮釋者該怎樣研究禮儀的行為層面呢？以古代中國為例，我們一方面擁有大量禮儀活動的文獻描述（實際上往往是規定而非描述），另一方面也有同樣為數眾多的實際禮儀的器物。單獨看來，這些史料不過是禮儀舉行過後的影子和迴響罷了。無論《禮記》這樣的文獻記載了多麼詳細的規定，都不比閱讀一齣劇本的舞臺說明更加令人滿意。此外像銅器與樂器這樣的文物，即便出土於禮儀環境中，也僅能提供關於禮儀表演者的有限證據。儘管如此，一旦我們將各種證據擺在一起，再跟最著名但無論如何也許是最重要的《詩經》結合起來，也許就能讓中國古禮的行為本質重新煥發生機。[1]

　　本篇裡，筆者意圖檢視《詩經》最早的部分〈周頌〉裡和禮儀有關的詩歌。筆者在此將試圖呈現，這些詩歌中最早的部分（很可能創作於西周王朝第一世紀，即公元前 1045- 約 950）實際上是儀式參與者所演唱並配以舞蹈表演的頌歌禱詞，並沒有獨立於禮儀環境的功能和涵義。這也許能解釋為什麼中國詩歌的學者甚至是《詩經》的讀者

---

[1]　本論文的初稿曾於「中國朝庭之禮制」研討會上發表（1993 年 4 月 7 日，英國，劍橋），對於會上富有啟發的討論，筆者想對所有參與的討論者表達感謝。發表過後，筆者曾對這篇初稿做了相當大幅度地修改，最後完成於臺灣臺北的漢學研究中心，因此，對於漢學研究中心的支持及殷勤款待，筆者也要表達由衷的感激。

幾乎完全忽略它們。筆者也將檢視若干被語言和歷史證據證明晚出的〈周頌〉詩歌，它們可能創作於西周中期，大約是公元前十世紀中後期。這些詩歌描述了一種不同型態禮儀的興起：有一個特別指定的參與者來代表作為觀眾的賓客進行禮儀表演。本篇的結論將指出，禮儀表演的發展與詩歌表達形式的發展是相互呼應的。也就是說，一方面古禮的儀式由所有人集體參與發展為參與者與觀眾的分別；另一方面，詩歌的表達也從共同參與變為詩人與觀眾的明確區分。有了這樣子的區別，中國詩歌也由頌詞步入了文學的領域。

歌舞組詩〈大武〉

目前吾人所擁有的關於《詩經》創作與表演的最早證據，主要來自於《逸周書·世俘》之中。這份編年體文獻敘述了周人克殷之事，特別是之後的一系列慶典。在殷都一帶舉行的儀式中，特別有一段視察殷商敗軍的描述：

> 甲寅謁戎殷于牧野。王佩赤白旗。篜人奏武。王入。進萬[2]。

《左傳》為〈世俘〉提及之〈大武〉樂章的創作與內容提供了進一步的細節：

> 武王克商，作頌曰：載戢干戈，載櫜弓矢。我求懿德，肆于時夏。允王保之[3]。又作武，其卒[4]曰：耆定爾功。其三曰：鋪時繹

---

[2] 《逸周書》（四部備要本），卷4，頁10b。其相關譯本（與此討論稍微不同）請見本書的第二篇。

[3] 這五句詩句出自於《詩經·時邁》，關於全詩的討論，請見下文。

[4] 在《詩經·武》的註釋中，朱熹（1130-1200）提出了《春秋·左傳》的說法，將此詩作為詩組〈武〉的首章；請參照朱熹：《詩經集註》（國學叢書本），頁183。

求定。其六曰：綏萬邦，屢豐年。夫武禁暴戢兵，保大、定功、安民、和眾、豐財者也，故使子孫無忘其章[5]。

此處所錄的是〈武〉樂章（也稱作〈大武〉）原本也許有六節的其中三節，它們與〈周頌〉的三首詩〈武〉、〈賚〉及〈桓〉的文句相呼應[6]。其詩如下：

於皇武王，無競維烈。
允文文王，克開厥後。
嗣武受之，勝殷遏劉。
耆定爾功。〈武〉

文王既勤止，我應受之。
敷時繹思，我徂維求定。
時周之命，於繹思。〈賚〉

綏萬邦，屢豐年。
天命匪懈。
桓桓武王，保有厥土。
于以四方，克定厥家。

這個說法使得馬瑞辰（1782-1853 年）猜測宋朝的某個《左傳》文本作「首章」而非現今文本中的「卒章」；請參照馬瑞辰：《毛詩傳箋通釋》（四部備要本），卷29，頁 16b。

5 《左傳·宣公十二年》。

6 學者間有共識，目前在〈周頌〉部分的最後有兩首詩，〈酌〉與〈般〉，原本也屬於此歌舞詩組。關於此可能存在的第六個詩節的部分，過去有諸多猜測，最全面的討論或許是孫作雲：〈周初大武樂章考釋〉，《詩經與周代社會研究》（北京：中華書局，1966 年），頁 239-272。

於昭于天，皇以閒之。〈桓〉[7]

儘管行文簡潔且相對缺乏文學潤飾，這三首詩的結構和l內容都十分相似，足以表明《左傳》將其視為同一作品的觀點是正確的。如果說其中包含一個從進軍滅商，到擴大勝利，再到穩定邦家的主題演進，應該也不算是一個太模糊的印象。《禮記》中的一段話告訴我們，至少傳統的解釋是這麼認為的：

> 夫樂者，象成者也。摠干而山立，武王之事也。發揚蹈厲，大公之志也。武亂皆坐，周召之治也。且夫武始而北出；再成而滅商；三成而南；四成而南國是疆；五成而分，周公左、召公右；六成復綴以崇天子。[8]

這段話不僅表明了一組詩的主題演進，更重要的是，它同時揭示了〈武〉的詠唱是有舞蹈動作相伴的，這些動作具有禮儀方面的重要性。從鄭玄（127-200）到唐代《五經正義》的注疏傳統告訴我們，舞蹈動作和組詩的詩節是相互配合的，都是為了象徵性地重現周人克商的過程：「北出」，此時舞者會向北方移動，以象徵伐商的大軍在孟津渡過黃河。再成的「滅商」顯然指牧野之戰，舞者也許會以默劇的形式表現該場戰爭。三成「而南」的舞蹈動作非常明顯，代表了周師的凱旋。四成的「南國是疆」明顯指將皇親國戚封於各諸侯國之事；周公、召公的五成「而分」傳統認為是通過封建[9]來劃分領地，

7　儘管以上所提及的傳統想法認為〈武〉是在武王克商勝利後不久，在他面前首次表演的，但〈桓〉最後的幾行又似乎將武王描述為已故的君王。

8　《禮記》鄭注（四部備要本），卷11，頁21a-b。

9　第四篇有關《尚書·召誥》與《尚書·君奭》的討論中，筆者曾經提及，周公與召公這兩位武王身邊的主要左右手，在武王辭世之後，對朝政抱持著兩種極端不同的看法。亦即周公代表內閣觀點，而召公則代表忠誠立場。筆者認為召公支持君王的

這一定是由舞者分為兩列來表現的。在舞蹈結尾處，分開的舞者又重新會合，以此承認帝王或「天子」至高無上的地位。

因此，根據這三處簡短而隱晦的說明（即《逸周書・世俘》、《左傳》及《禮記》），我們至少可以大致了解當時的人是如何表演並理解今本《詩經》中的某些詩歌——比如歌舞詩組〈武〉。它們被視為周朝立國事業的禮儀重現，其中包括音樂伴奏、描述先王功績的歌曲演唱、以及相同內容的默劇舞蹈。這應該是相當完整的一套禮儀演出。

繼位儀式中的頌辭

作為一種重現，〈武〉的表演效果在本質上一定是象徵性的。象徵性必然是禮儀不可或缺的方面。然而，自 J. L. Austin[10] 開拓性的作品發表以來，人們逐漸認識到禮儀表演除象徵之外，還有重現的實際功能。《詩經》中自不乏此類表演的證據，其中最有趣的例子也許要算周頌裡的〈閔予小子〉、〈訪落〉與〈敬之〉三首。《毛傳》曾經指出，這些詩歌是在天子繼位[11]時在宗廟裡詠唱的，從詩歌的內容中我們也很容易發現這一點。近年來，比較這幾首詩與《尚書・顧命》中關於康王（公元前 1005/03-978 年在位[12]）即位的詳細敘事，傅斯年

合法權威，是最後勝出的觀點，而此觀點和《禮記》關於〈武〉的第六個亦即最後的樂章一致，當不同行列的舞者「復綴以崇天子」。

[10] 請參照 J.L. Austin, *How to Do Things with Words* (London: Oxford University Press, 1962)。

[11] 《毛詩》鄭《箋》（四部備要本），卷 19，頁 11b-12b。鄭玄指出這些詩歌在成王（公元前 1042/35-1006 年在位）即位時被歌唱。不過，更有可能是它們是西周所有天子即位時的一個表演項目。

[12] 本文關於西周諸王的年代皆取自 Edward L. Shaughnessy, *Sources of Western Zhou*

（1896-1950）已經證明了這些詩歌的表演可能有特定的禮儀背景。[13]
這一證明需要大量引用〈顧命〉及周頌裡的三首詩歌（筆者將按照傅
斯年的方式在並列的兩欄中同時列出〈顧命〉和三首詩的正文，〈顧
命〉在左、詩於右。）

太保命仲桓、南宮毛俾爰齊侯呂伋，以二干戈、虎賁百人逆子釗於南門之外。延入翼室，恤宅宗。丁卯，命作冊度。越七日癸酉，伯相命士須材。…… 王麻冕黼裳，由賓階隮。卿士邦君麻冕蟻裳，入即位。太保、太史、太宗皆麻冕彤裳。太保承介圭，上宗奉同瑁，由阼階隮。太史秉書，由賓階隮，御王冊命。曰：「皇后憑玉几，道揚末命，命汝嗣訓，臨君周邦，率循大卞，爕和天下，用答揚文、武之光訓。」王再拜，興，答曰：「眇眇予末小子，其能而亂四方以敬忌天威。」 乃受同瑁，王三宿，三祭，三咤。上宗曰：「饗！」太保受同，降，盥，以異同秉璋以酢。授宗人同，拜。王答拜。太保受同，祭，嚌，宅，授宗人同，拜。王答拜。太保降，收。諸侯出廟門俟。	閔予小子、遭家不造、嬛嬛在疚。 於乎皇考、永世克孝。念茲皇祖、陟降庭止。 維予小子、夙夜敬止。 於乎皇王、繼序思不忘。〈閔予小子〉

History: *Inscribed Bronze Vessels* (Berkeley: University of California Press, 1991), xix, 217-287。

[13] 傅斯年：《傅斯年全集》共五卷（臺北：聯經出版事業公司，1980年），卷1，頁218-220。

王出，在應門之內，太保率西方諸侯入應門左，畢公率東方諸侯入應門右，皆布乘黃朱。賓稱奉圭兼幣，曰：「一二臣衛，敢執壤奠。」皆再拜稽首。王義嗣德，答拜。太保暨芮伯咸進，相揖。皆再拜稽首，曰：「敢敬告天子，皇天改大邦殷之命，惟周文武誕受羑若，克恤西土。惟新陟王畢協賞罰，戡定厥功，用敷遺後人休。今王敬之哉！張皇六師，無壞我高祖寡命。」

王若曰：「庶邦侯、甸、男、衛，惟予一人釗報誥。昔君文武丕平，富不務咎，厎致齊信，用昭明于天下。則亦有熊羆之士，不二心之臣，保乂王家，用端命于上帝。」

「皇天用訓厥道，付畀四方。乃命建侯樹屏，在我後之人。今予一二伯父尚胥暨顧，綏爾先公之臣服于先王。雖爾身在外，乃心罔不在王室，用奉恤厥若，無遺鞠　子羞！」

群公既皆聽命，相揖，趨出。王釋冕，反喪服。〈顧命〉

敬之敬之，天維顯思。命不易哉！無曰高高在上。
陟降厥士，日監在茲。
維予小子，不聰敬止？
日就月將，學有緝熙于光明。
佛時仔肩，示我顯德行。〈敬之〉

訪予落止，率時昭考。於乎悠哉！朕未有艾。將予就之，繼猶判渙。
維予小子，未堪家多難。紹庭上下，陟降厥家。
休矣皇考！以保明其身。〈訪落〉

　　〈顧命〉中所呈現的禮儀及其重要性，不需要筆者再多作贅述。我承認，〈顧命〉所引周王之語和三首即位詩的對應關係並沒有傅斯年所說的那樣直接，但筆者相信這樣的比較已經很有啟發性。在禮儀背景而不僅僅是文學背景下探討這些詩歌，將更能凸顯其意義。

祭祖的頌辭

　　筆者相信，如果將同類型的詮釋用於〈周頌〉裡與祭祖有關的詩歌上（這部分裡的多數詩歌都與此有關），不僅有助於說明這些詩歌原來的功能，還有助於理解這些禮儀在西周時期的發展狀況，以及這些發展如何再影響中國詩歌。為了論證這個觀點，必須比上文更仔細地檢視一大批詩歌。筆者在此將以翻譯〈周頌〉裡的前十首詩開始[14]，並特別點出筆者的理解與已往注釋和翻譯的不同之處。這些詩在大部分《詩經》本子裡皆被劃為同一單元，它們都來自獻給祖先的禮儀表演。的確，我在翻譯之後將要證明，多數情況下這些詩歌是儀式過程中吟誦的禱詞。

> 於穆清廟，肅雝顯相。[15]
> 濟濟多士，秉文之德。[16]
> 對越在天，駿奔走在廟。
> 不顯不承，無射於人斯。〈清廟〉

---

[14] 首先筆者將討論這十首詩之中的其中九首，並保留關於例外的〈執競〉的討論於下文。

[15] 「相」通常都被詮釋為「助手」，指那些輔助祭祀的人。筆者懷疑它原意指的是祖廟中的先祖之「形象」（「相」肯定與「想」同源，意指「想像」，「相」無疑也與「象」同源，意指「形象」或「造形」）。為了支持這樣的詮釋，筆者可以指出〈雝〉將「相」指認為「辟公」：「相維辟公」。儘管舊注多認為「辟公」是指前來輔助祭祀的各邦國諸侯，但是較之《周頌・烈文》中的「烈文辟公，錫茲祉福」以及《周頌・載見》中的「烈文辟公，綏以多福」，很清楚地顯示「辟公」是在指能夠降福的先祖。

[16] 「文之德」，《毛傳》將之釋為「執文德之人也」，但鄭玄則認為是「文王之德」，而這和出現在〈烈文〉一詩中的表述類似。

維天之命，於穆不已。

於乎不顯，文王之德之純。

假以溢我，[17]我其收之。[18]

駿惠我文王，曾孫篤之。[19]〈維天之命〉

維清緝熙，文王之典。

肇禋，迄用有成，維周之禎。〈維清〉

烈文辟公，[20]錫茲祉福。

惠我無疆，子孫保之。

無封靡于爾邦，維王其崇之。

念茲戎功，繼序其皇之。

---

17 此處筆者的理解按照傳統的斷句，在「純」與「假」之間將兩句分開。但是筆者懷疑這裡的「假」字應做「嘏」，為「庇祐」的意思，並由「純」字做修飾，如此便可形成西周常用的俗諺「純嘏」。筆者刻意避開這個校訂，主要是因為這會使得「以」沒有著落，既沒有受詞也沒有動詞補語。

18 詩行開頭的「其」是情態助詞，有「願、希」之意，這種使用，在西周銅器銘文中無所不見。關於其重要性的進一步討論，請參照下文。

19 這句詩通常斷之於單詞「文王」及「曾孫」，前一句也因此讀做「駿惠我文王」。然而這樣的解釋，使得後一句中的代名詞「之」又再次意指文王，且曾孫篤之。這樣的用法似乎有多餘的嫌疑。相反的，筆者認為「文王曾孫」應作同位語，用以修飾「我」，如此一來「之」字就意指第二行中所敘述的文王之德中「純」字的使用，就如同第三行中的「之」。

20 如上所註（註15），這邊的「辟公」通常被詮釋為意指西周城邦的眾多諸侯，和詩中第十二句的「百辟」之意相同。如此詮釋，其實從兩點上可看出其錯誤。其一，「烈」和「文」二字通常都是用來形容已故先祖的形容詞，後者也多以「公」稱呼。其二，這裡的「辟公」是「錫」（即「給予」之義）這些「庇祐」（祉福）的代理人，而這確實是只有這些已故先祖才能夠做的事情。

無競維人，四方其訓之。

不顯維德，百辟其刑之。

於乎前王不忘。〈烈文〉

天作高山，大王荒之。[21]

彼作矣，文王康之。

彼徂矣岐，有夷之行，子孫保之。〈天作〉

昊天有成命，二后受之。[22]

成王不敢康，夙夜基命宥密。

於緝熙，單厥心，[23] 肆其靖之。〈昊天有成命〉

我將我享，維羊維牛。

維天其右之。[24]

儀式刑文王之典，日靖四方。

伊嘏[25] 文王，既右饗之。

---

21 首句詩行中的「高山」，一般解釋為岐山，在下面第三行詩句中它也再次被提到。
此外，它還是周人在陝西省中部古老的家園。詩句中的「大王」意指古公亶父，他
帶領著周人移居到岐山。「荒」（即「移平」），亦即砍伐樹木，該層意思在註解中
不難理解，且其在詩中也意圖作為第一步開墾耕植、有益的行為。

22 「二后」意指文王及武王。

23 「單厥心」意指成王之決心，也可以說是他的「一心」。為求對照，比較上文引及
《尚書·顧命》描述文王與武王的「不二心」的部分。

24 「右」這個字，引起許多有關神祉與祭品於祭祠中擺放位置的討論。然而，「右」
屬於一個由「有」延伸出來的同源詞組，其中包含了許多有關人與靈之間交換祭品
及庇祐的字（例如「侑」與「祐」）。筆者質疑於此句及第七句中的「右」字反映
了此貢獻的意思，有祈求上天接受之意。

25 嘏，通常被使用來表示「庇祐」的名詞，也讀做假，有「接近」之意。雖然這兩層
意思有連結關係（文王的接近帶來庇祐），該處文意似乎需要加入一個形容詞，亦

我其夙夜，畏天之威，于時保之。〈我將〉

時邁其邦，昊天其子之。[26]

實右序有周，薄言震之。[27]

莫不震疊，懷柔百神，及河喬嶽。

允王維后，明昭有周，式序在位。

載戢干戈，載櫜弓矢。

我求懿德，肆于時夏，允王保之。〈時邁〉

思文后稷，[28] 克配彼天。

立我烝民，莫匪爾極。

即筆者以近似的「祝福的」意思解釋。

[26] 筆者懷疑這首詩的開頭有訛誤，因為無論是首句中被筆者理解作「他的」的「其」（而且可以補充，這是筆者認為〈周頌〉最早期詩歌中介系詞「其」的唯一用法，詳情請參照下面），或是第二句裡譯為「他」的「之」，都沒有先行詞。雖然在文法上不排斥第二句中的「之」可以同時指首句裡的「邦」，但以這樣的方式將國家擬人化（亦即將它視為兒子），相當可疑。既然這首詩除此以外是獻給統治君王的頌歌（「允王維后」；「允王保之」），筆者認為，這裡「其」和「之」的使用，皆是指君王。

[27] 這裡筆者理解為「他們」的先行詞「之」字也不甚清楚，儘管在傳統注釋上，「之」字被理解為用來指眾城邦的諸侯這個觀點大概是正確的，在文法上「之」指的就是首句中的「邦」。這裡字義一樣模糊的還有「震」的主事人。當然很可能第二句中的「天」便是這個主事人，如此一來，包含這句詩行以降都可以視為是禱辭（如「薄言震之」等）。然而延續上面指出的懷疑，亦即對君王的指涉因為某種原因在文本中失去了（註26），筆者認為這句詩行和其以下的詩行都在指君王，而且還是君王動作後的結果。

[28] 「思」通常被註解為一個不具有意義的助詞。然而筆者認為這是一個在周代各類文本中、帶有「我們希望」、「那將會」、「可能」的意思，是用在祈禱開場的最佳範例。有關其占卜背景研究，請參照夏含夷：〈試論周原卜辭囟字──兼論周代貞之性質〉一文，《古文字研究》第17輯（1989年），頁304-308。

貽我來牟，帝命率育。

無此疆爾界，陳常于時夏。〈思文〉

這些詩歌展現出語言及詩歌特徵方面的若干一致性，在形式和句法的層面非常明顯。就形式層面來說，每行詩歌的字數和押韻格式皆不一致（如果有韻的話）。就這點來看，它們正好和本文開頭檢視的、一般認為是《詩經》中最早的〈大武〉組詩一致。此外，銅器銘文告訴我們，直到西周中期才開始出現用韻的情形[29]。因此，這些詩歌的無韻特徵可能證實了傳統觀點的正確性，即這些詩歌創作於西周初年。還須提到，這些詩歌極少描述正在進行的禮儀表演。與此相反，它們主要由直接獻給祖先的禱詞組成，筆者在下文將論證這一點。

就句法層面上來說，這些詩歌至少有兩個重要特徵表明它們本質上是表演性的。第一，其中幾首詩使用了情態助詞「其」，這也是用來判定年代的一條重要標準。「其」這個詞習見於西周銅器銘文的結尾獻詞中，表示「希望」的意思（例如「子孫其永寶用」）：

維王其崇之。〈烈文〉

肆其靖之。〈昊天有成命〉

我其夙夜，畏天之威。〈我將〉

---

29 有關西周銘文中用韻的研究，請參照郭沫若：《金文餘釋之餘》（東京：1932年），頁127a-149b；陳世輝：〈金文韻讀續輯一〉，《古文字研究》第5輯（1981年），頁169-190；及陳邦懷：〈西周金文韻讀輯遺〉，《古文字研究》第9輯（1984年），頁445-462。白川靜：《西周史略》（《金文通識》，收入《白鶴美術館誌》〔神戶：白鶴美術館，1962-1984年〕。）提出了最早顯示用韻的西周銘文大約為穆王時期（公元前956-918年在位。例如沈子它簋與班簋交錯使用了「之」部和「魚」部合韻，並以「東」韻加以點綴。這與〈周頌〉比如〈雝〉等詩有著相似的用韻模式）。下面筆者將指出有其他的語言特徵顯示，〈雝〉這首詩的產生並沒有早於穆王時期。

　　昊天其子之。〈時邁〉

相比之下，〈周頌〉裡每行韻律較為一致的詩歌則將「其」作為第三人稱所有格代名詞使用。這種用法只出現在不早於西周中期[30]的銅器銘文裡。「其」的情態用法似乎確鑿無疑地表明了這些詩是獻給先祖們的頌辭。

　　其二，除了以情態助詞「其」表達願望之外[31]，有數首詩歌亦使用了像是「惠」、「錫」、「貽」和「求」等動詞向先祖祈福。

　　駿惠我文王，曾孫篤之。〈維天之命〉
　　錫茲祉福。〈烈文〉
　　我求懿德。〈時邁〉
　　貽我來牟。〈思文〉

這些動詞似乎再一次表明這些頌辭是由儀式的參與者直接唱給儀式中作為祭祀對象的先祖聽的。

　　在這些詩歌中，直接對話的特色也明顯地表現在代名詞的使用上。如同前段節錄中的三則例子中，有好幾首詩歌（〈維天之命〉、〈烈文〉、〈武將〉、〈時邁〉、〈思文〉）使用了第一人稱代名詞複數「我」（我們）[32]。更能說明問題的也許是其中兩首詩用第二人稱代名詞

---

[30] 「其」最早當作第三人稱代名詞的使用方法，似乎見於寓鼎上的銘文：「對揚其父休」。對於目前已經不存在的寓鼎，其銘文似乎要追溯到穆王時期（公元前956-918年在位）。除了這個以外第三人稱代名詞「其」的用法亦見於𣄴鐘與兮甲盤上，兩個容器分別追溯到屬王（公元前827/53-842/28年在位）及宣王（公元前827/25-782年在位）時期。

[31] 這裡也要注意的是「思」在〈思文〉（毛詩）一詩中帶有「希望、將會、可能」的相似用法；有關此用法的詳細說明，請參照上面註28。

[32] 關於商朝甲骨文上所見的「我」的複數用法，請參照陳夢家：《殷墟卜辭綜述》（北京：科學出版社，1956年），頁96。王力於《漢語史稿》（北京：科學出版社，

「爾」去稱呼先祖。

> 無封靡於爾邦。〈烈文〉
> 莫匪爾極。〈思文〉

就筆者看來，第一人稱代名詞「我」的使用也表現出這些儀式的某些本質特徵。這些詩中沒有任何證據表明儀式是由指定的祭司來代表宗廟裡的其他人進行表演的。與此相反，「我」字既可作為祈禱者的自稱（「我求懿德」），又可用來稱呼福祇的接收者（「貽我來牟」），這說明儀式是由眾人共同表演或參與的。筆者希望這一特徵的重要性稍後會更加清楚，下面將討論這組詩裡比較特別的〈執競〉，以及另外三首與之相似的詩。

與〈周頌〉裡前十首詩組中的其他詩歌不同，〈執競〉的十四句完全是以四字句的形式所組成，且用韻也呈現出一致性的特色（前十句中有九句為陽部韻，最後四句則有三句為元部韻）。此外，也沒有出現其他詩歌裡直接與祖先對話的那類禱詞。取而代之的是對正在進行的儀式的描述：

> 執競武王，[33] 無競維烈。
> 不顯成康，[34] 上帝是皇。

1959 年），頁267中，指出這個原本的複數用法自西周起變得較不明顯，以至於最終「我」能同時被用來表複數或單數。冒著循環論證的風險，筆者將指出此處「我」的使用似乎都是複數，或許同時可以證明這些詩歌為西周早期的詩歌。

[33] 〈執競〉一詩讓人回想起史牆盤上有關周代君王的別號，目的是用來描述已逝的周王。在該銘文中，武王被頌揚為「䉒圉」。

[34] 雖然漢代注釋者認為「成」與「康」二字是意為「成功」和「具有活力」的形容詞，但吾人似乎可以從其背景清楚知道，它們指的是周代第二及第三任君王，即成王和康王。第五句中更有「自彼成康」，其中的「彼」將兩個君王間隔開來，意即這首詩並不早於隨之在後的昭王時期（公元前977/75-957年在位）。如同筆者下面

　　　　自彼成康，奄有四方。

　　　　斤斤其明，鐘鼓喤喤。[35]

　　　　磬筦將將，降福穰穰。

　　　　降福簡簡，威儀反反。

　　　　既醉既飽，福祿來反。〈執競〉

　　　這首詩在描寫上最顯著的特色，在於它使用了多組重疊詞作為擬聲詞來形容樂器的聲響。

　　　　鐘鼓喤喤，磬筦將將。

疊詞的使用貫穿了全詩，甚至延伸到沒有明顯擬聲特點的情況裡（「斤斤其明」、「降福簡簡」、「威儀反反」），並發展成《詩經》格律的特色之一[36]。儘管如此，值得注意的是，這一特點並未出現在前十首詩歌的另外九首裡[37]，也沒有出現在穆王（公元前956-918年在位）之前的銅器銘文中。

　　將會討論到的，這個紀年似乎與這首詩的數個語言及詩歌特色具有一致性。

[35]　如下句中的「將將」，「喤喤」是用來模仿樂器聲響的擬聲詞。雖然下二行中的「穰穰」、「簡簡」與「反反」在語言上相類似，且它們的詠唱也可能曾伴隨著鐘鼓節奏，筆者質疑這裡所用的字反映了一定意義。

[36]　有關《詩經》裡重疊詞使用的討論，包含表示它們出現在〈大雅〉、〈小雅〉及〈國風〉中的幾乎每一首詩的數據表格，請參照周滿江：《詩經》（1980年；臺北：三民書局，1990年再刷版），頁29。在〈周頌〉裡的下列幾首詩中可以發現重疊詞：〈清廟〉、〈執競〉（6次）、〈臣工〉（2次）、〈有瞽〉、〈雝〉（3次）、〈載見〉（2次）、〈有客〉（2次）、〈敬之〉、〈載芟〉（5次）、〈良耜〉（2次）、〈絲衣〉、〈桓〉。這顯示具有大量重疊詞的詩歌，正好就是具有一致的格律的詩歌，例如〈執競〉中14行的每一行、〈臣工〉中15行的每一行、〈載見〉中14行的13行、〈有客〉中12行的每一行、〈載芟〉中31行的每一行、〈良耜〉中23行的每一行。這似乎表示重疊詞的使用，是用來判定〈周頌〉裡詩歌年代的一個很好的標準。

[37]　在〈清廟〉一詩中亦有一個重疊詞「濟濟」，但可以確定其非擬聲詞。

　　事實上，銅器銘文中表明這些重疊詞確實由這首詩裡模仿樂器聲響的這類擬聲詞發展而來。由厲王下令鑄造著名的㝬鐘（即宗周鐘）上的銘文，為此類擬聲詞提供了一個非常好的例子。

> 朕猷有成亡競。我唯司配皇天王對作宗周寶鐘。倉＝㤬＝妯鷈＝用邵各丕顯祖考先＝王＝其嚴在上象＝嫠＝降余多福＝余孫

與此有關，特別要注意的是直到大約穆王時期，編鐘才從東方與南方引入周王朝的地區。[38] 因此，除了擬聲詞的運用以外，〈執競〉裡「鐘」的出現（例如「鐘鼓喤喤」）也可以作為判斷創作時間的絕佳標準：這首詩應該不會早於西周中期。

　　〈執競〉一詩至少有另外三個特點可以支持這一創作時間的判斷。其一，詩中的第五句「自彼成康」幾乎可以確定指的是已逝的成王（公元前1042/35-1006年在位）及康王，也就是說，該詩的出現不會早於康王之子昭王（公元前977/75-957年在位）的統治時期。其二，詩中的第一句「執競武王」讓人理所當然地聯想到史牆盤銘文用來描述周朝各王的語詞。其中獻給武王的段落以「鼃圉武王」為開頭。既然史牆盤已確定來自共王統治時期（公元前917/15-900），〈執競〉中相似的別號也許表明詩歌的創作時間與之相去不遠。其三，此詩並未使用上文論及的情態助詞「其」，卻以代詞「其」取而代之（「斤斤其明」）。如上所述，這種用法一開始僅僅出現在西周中期的銅器銘文裡，而且為數甚少。

　　筆者相信，無論從語言還是詩歌的角度看，所有這些都顯示出〈執競〉和〈周頌〉前十首裡的其他九首不屬於一類。同時筆者認

---

[38] 關於編鐘引進周地及其用途的介紹及全面討論，請參照 Lothar von Falkenhausen, *Suspended Music* (Berkeley: University of California Press, 1994), 159-162。

為，它也不屬於那種由一群人共同參與的禮儀環境，而是在主事者與
觀眾之間有著明確區分的禮儀環境。為了證明這種在儀式上的區別，
需要檢視另外三首與祭祖有關的〈周頌〉詩歌：〈有瞽〉、〈雝〉與
〈載見〉。這三首詩在詩歌及語言特徵上都與〈執競〉相似。筆者將
以對〈有瞽〉與〈載見〉的翻譯開始，並隨後討論它們的格律及儀式
表演方面的特徵。之後筆者將回頭關注〈雝〉：

> 有瞽有瞽，在周之庭。
>
> 設業設虡，崇牙樹羽。
>
> 應田縣鼓，鞉磬柷圉。
>
> 既備乃奏，簫管備舉。
>
> 喤喤厥聲，肅雝和鳴，[39] 先祖是聽。
>
> 我客戾止，永觀厥成。〈有瞽〉

> 載見辟王，曰求厥章。
>
> 龍旂陽陽，和鈴央央。
>
> 鞗革有鶬，休有烈光。
>
> 率見昭考，[40] 以孝以享，以介眉壽。
>
> 永言保之，思皇多祜。
>
> 烈文辟公，綏以多福，俾緝熙于純嘏。〈載見〉

關於以上兩首詩，首先要注意到的是它們和〈執競〉一樣，每句

---

39 「肅」與「雝」在〈雝〉詩中以重疊的形式出現，很可能是用來模仿笛聲和鼓聲的
擬聲詞。然而〈有瞽〉此處並沒有以重疊的形式出現，故筆者也因此將它們做一般
字義解，並質疑其在擬聲的價值之外，在用字上也有意義。

40 筆者認為很有可能，這裡的「昭」指的是昭王。如果真是如此，這首詩的創作不會
早於穆王時期，而這樣的紀年也和它的語言及詩歌特徵不互相矛盾。

的字數基本一致（〈有瞽〉的十三個詩句全部是四字句，〈載見〉的
十四句裡有十三句是四字句[41]），韻腳也比較整齊（兩首詩的韻均在
「東」、「陽」韻和「魚」、「之」韻之間做轉換[42]）。而且兩者皆使用
了擬聲詞。筆者認為，這些形式特點無疑說明了這兩首詩比〈周頌〉
裡的前十首更晚。

　　進一步研究兩首詩的內容，它們與早期詩歌最顯著的差異是與祖
先展開的直接對話完全消失。這兩首詩不再是禮儀頌辭的一部分，而
是對禮儀活動的描述。不僅如此，我們還發現用來修飾儀式的參與
者、參與者的活動以及祖先的不再是第一、第二人稱的代名詞，而是
第三人稱代名詞「厥」來代表：

　　　喤喤厥聲。〈有瞽〉
　　　先祖是聽。我客戾止，永觀厥成。〈有瞽〉
　　　載見辟王，曰求厥章。〈載見〉

不難發現，這些描述伴隨的是詩歌與禮儀環境的分離。

　　詩歌與其禮儀環境的分離似乎跟禮儀表演本身的分離有關。在一
項極其重要的發現中，羅森（Jessica Rawson）指出西周中期青銅禮
器的變化揭示出禮儀表演方式的重大變革。羅森的看法值得完整地引
用如下：

　　　一個在公元前九五〇年需要使用酒器與食器組合，並在公元前
　　　八八〇年拋棄它們並由大型食器組合取而代之的社會，必定在
　　　禮儀甚至信仰方面發生了重大變化。此外，在銅器的設計上也
　　　有重要改變，即使今日仍可看到。西周早期的銅器呈現出相對

41　有關此特色的進一步討論，請參照上面註36。
42　有關此特色的進一步討論，請參照上面註29。

小巧而精緻的特色。為了完整地欣賞它們，禮儀的參與者必須近距離觀察，至少有時候是如此。我們似乎可以由此推測當時的禮儀較為私人化，由一小群人在靠近銅器的地方進行。西周晚期的銅器因其數量和規模必須在一定距離之外才能達到效果。它們的表面不再有精細的裝飾。而且當時流行的弦紋和波浪紋的裝飾主題也沒有近距離觀看的必要，相對粗糙的設計在遠處看來是一樣的。除此之外，編鐘也引進了一個新的元素——青銅的花費可以用來演奏音樂。大型銅器成排的景觀以及編鐘音樂的影響似乎說明，比之前更多的人懷著敬意站在遠處見證了儀式[43]。

筆者認為，這種區分主事者與觀眾的禮制改革也隱含在〈有瞽〉及〈載見〉這兩首詩中。在〈有瞽〉中，詩歌先描述了樂器的聲音和外觀，然後在結尾處提到「觀」樂器和禮儀演出的「我客」：

我客戾止，永觀厥成。〈有瞽〉

在〈載見〉的例子中，主事者被指認為君王本人，而「見」字的使用似乎說明需要有除他之外的旁觀者。

載見辟王。〈載見〉

這種君王作為儀式裡僅有表演者的地位，在我要考慮的最後一首〈周頌〉詩歌〈雝〉裡面表現得尤其明顯。如上所述，這首詩在形式上與〈有瞽〉及〈載見〉兩首詩歌相同。全詩凡十六句，皆由四字句所組成，韻腳皆於東、陽部之間或魚、之部之間轉換，使用了擬聲

---

[43] Jessica Rawson, "Statesmen or Barbarians? The Western Zhou as Seen through Their Bronzes," *Proceedings of the British Academy* 75 (1989): 89-91.

詞，描述了儀式的表演活動，並以第三人稱代名詞「厥」稱呼先祖。
與另兩首詩的不同之處在於，它和〈周頌〉前十首詩一樣在祭祀活動
的描述中夾雜著直接對話。然而，與早期詩歌不同的是，這一直接對
話只屬於君王一個人，並以第一人稱單數代名詞「予」明確標出：

> 有來雝雝，至止肅肅。[44]
>
> 相維辟公，天子穆穆。[45]
>
> 於薦廣牡，相予肆祀。[46]
>
> 假哉皇考，綏予孝子。
>
> 宣哲維人，文武維后。
>
> 燕及皇天，克昌厥後。
>
> 綏我眉壽，介以繁祉。[47]
>
> 既右烈考，亦右文母。[48]〈雝〉

---

44 如上註（註39），「雝」和「肅」同時出現在〈有瞽〉一詩中，但卻不是以重疊的
　形式出現，並可分別作「和諧的」、「肅穆的」理解。雖然注釋者對於重疊與不重
　疊的解釋並無區分，但很明顯的，它們主要分別是笛聲和鼓聲的擬聲詞。

45 雖然「穆穆」一詞有可能用來形容周代任何一位君王，但終究的事實是它並沒有出
　現在穆王時期（公元前956-918年在位）前任何銅器銘文上。筆者質疑「穆穆」一
　詞在這裡的出現，很可能在指穆王，而這同時也是和該詩其他語言及詩歌特色一致
　的紀年。

46 這裡筆者沿用「相」做「輔佐」解的傳統解釋，儘管筆者認為仍然有可能如上第二
　行中（也如同於〈清廟〉一詩中；請參照上面註15）所提出的看法，即「相」亦
　可作為「祭壇中先祖形象」解的解釋。在此處的直接陳述中，就可以理解作「相，
　予肆祀」。

47 筆者質疑這裡的「介以」原來應讀做「以介」，如同〈潛〉中的類似句子：「以介
　景福」和「以介眉壽」。值得一提的是，〈周頌〉裡「以」出現了十八次，而且幾
　乎全都出現在顯示具有最晚的語言及詩歌特色的作品中。

48 如上面所討論的〈我將〉一詩中（請參照上面註24），這裡的「右」代表了同源詞
　族中的另一個字；在這個情形中，筆者懷疑使用「侑」字將更為妥當。

　　如果羅森關於禮制改革的結論不誤（而筆者對此頗有信心），亦即在西周中期文物中可見的變化伴隨著儀式甚至是信仰的重要改變，我們就不應該對當時的詩歌反映出同樣的變化感到驚訝。儘管本文只是追溯早期詩歌變化的第一步，但筆者認為這些變化已經可以清楚地劃為兩類：形式上與概念上的。筆者之前已經花了一定篇幅去探究形式上的發展。簡言之，我們發現早期詩歌裡每句字數較為鬆散，極少押韻甚至完全不押韻（大概作於西周頭一世紀）。而那些每句字數固定、押韻工整的詩歌，其語言和歷史特點表明其創作年代必不早於公元前十世紀後半葉（亦即大約穆王時期）。

　　概念上的變革或許更重要。筆者已說明了最早的詩歌是禮儀中的頌詞，由共同參與儀式的祭祀者吟唱。很難想像這些詩歌在禮儀活動之外還有任何意義。另一方面，較晚的詩歌不是禮儀的組成部分，而是關於禮儀活動的描述，因此它們已經反映出儀式與詩歌（以及詩歌作者）的分離。實際上，筆者相信兩者的分離反映出分工的專業化，這一傾向西周中期社會的其他方面也十分明顯[49]。正如這些儀式逐漸由禮儀專家在觀眾面前表演一樣，較晚的詩歌必定也由個別詩人在一群聽眾面前表演和創作。這些詩歌離原本的公共禮儀環境越遠，就越能反映出詩人的內心觀點。這肯定是文學興起的關鍵因素之一。

（楊濟襄、周博群　譯）

---

[49] 有關周朝宮廷中分工專業化的初步討論，請參照 Shaughnessy, *Sources of Western Zhou History*, 169。

7

〈乾〉與〈坤〉的書寫
——論《周易》裡的卦象

　　正如從〈文言傳〉直到近代哲學家熊十力的中國人都認為《周
易》（或稱為《易經》）是中國思想與智慧的精髓一樣，也從來沒有
學者懷疑過精髓的精髓在於最開始的〈乾〉與〈坤〉兩卦。不管人們
使用哪一些獨有的方式來詮釋這個文本，這兩個純陽（六連劃）和純
陰（六斷劃）卦的意義都被認為不僅僅是在經文的開頭那麼簡單；它
們被視為全部經文乃至於整個世界的小宇宙。在這個研究裡（亦即
《周易的編撰》*The Composition of the Zhouyi*），筆者盡力將《周易》
置於其歷史背景中進行詮釋，而不訴諸哲學與道德方面的推理，正是
這些推理產生了大部分上述的理解。[1]然而確實有證據表明《周易》最
終的編纂並非偶然事件。筆者已經說明了爻辭的主題辭和占辭之間有
內在的聯繫[2]，一卦之中的發展也顯示了某位或多位編纂者的手腳。某
些情況下，成對的卦象相輔相成而發展出一個完整的思想。我們也看
到最後一對卦象〈既濟〉（63）和〈未濟〉（64）的位置安排可能出
自有意識的編輯決定[3]。所有的這些都顯示著《周易》的編者本人對經
文開始的卦象有特殊的看法。

---

[1]　Edward L. Shaughnessy, "The Composition of the *Zhouyi*," (Ph.D. dissertation, Stanford University, 1983).

[2]　有關這些名詞以及它們分析《周易》文本的用法，請參考同上出處，頁139-158。

[3]　出處同上，頁257-265。

在繼續討論〈乾〉〈坤〉二卦的原始意義及彼此關係之前，吾人
應該先以討論兩者的卦爻辭開始。下面的譯文將利用圖示把文本分為
主題辭（左方欄位）、告誡辭（中間欄位）與技術性占卜術語（包含
占辭與驗辭，統整在右方欄位）。

〈乾〉（1）

　　元亨利貞

　　潛龍　　　　　　　　　勿用
　　見龍在天　　　　　　　利見大人
　　君子終日乾乾，夕惕若厲[4]　　　　　无咎
　　或躍在淵　　　　　　　　　　　　无咎
　　飛龍在天　　　　　　　利見大人
　　亢龍　　　　　　　　　　　　　　有悔
　　見群龍无首　　　　　　　　　吉

〈坤〉（2）

　　元亨利牝馬之貞，君子有攸往，先迷後得主。利西南得朋，東
　　北，喪朋。安貞吉。

4　另一種讀法，首見於孔穎達：《周易正義》，卷4，頁26，於「若」之後斷句，以一
　　般所了解的《周易》占卜法解釋「厲」（「夕惕若，厲」）。無論是套用哪一種閱讀
　　方法，這一行都明顯地不和卦象中其他句子屬於同一整體，且筆者懷疑它屬於早期
　　注釋所遺留下來的片段。

履霜	堅冰至	
直方	（大）不習[5]	无不利
含章	可貞；或從王事	无成有終
括囊		无咎无譽
黃裳		元吉
龍戰于野其血玄黃	利永貞	

將爻辭的主題單獨列出來，〈乾〉卦如下：

潛龍

見龍在天

或躍在淵

飛龍在天

亢龍

見群龍无首

而〈坤〉卦如下：

履霜

直方

含章

括囊

黃裳

龍戰于野其血玄黃

5　刪「大」，從高亨：《周易古經今注》（上海：開明書店，1947 年），頁 8。傳統上來說，此句被斷作「直，方，大，不習」，但是與〈坤〉卦裡其他的句子（「履霜」，「含章」，「括囊」與「黃裳」）相比較，「直方」為單一片語這一點應沒有多大疑問。對於此讀法更進一步的支持，是〈象傳〉中缺乏「大」的任何注釋，說明「大」的確是因為竄入文本才出現的。

這些主題中的意象引起了《易經》詮釋者極大的興趣，這也是本文將要討論的重點。

〈乾〉卦裡的龍是《周易》裡最容易引發寓言或形而上學詮釋的意象。其中或許是最主流的詮釋可以 Richard Wilhelm 的評註為代表：

> 卦象所代表的力量應該以雙重意義去詮釋——就它對宇宙的影響和對人類世界的影響。就宇宙這方面來說，卦象表達了神祇強有力的創造性行為。就人類世界這方面來說，卦象點出了聖人或君主的創造力，他們都以其力量喚醒並發展了人們更高尚的本性。[6]

龍是聖人的象徵符號，而六則爻辭則被認為描述了聖人針對自己所處的環境而採取的行動。因此在統治者邪惡而專橫的時代，聖人隱藏自己遁入山林之中。另一方面，如果君主有德，聖人不僅僅重返人類世界，而且在眾人之上找到他合適的位置（可以說是「飛」在他們上面），由此他的道德影響力得以發揮最大的作用。爻辭甚至成為一種激進無政府主義理論的經典來源。用九的「見群龍無首」被熊十力詮釋每人平等的善良本性，在他們之上不應有統治者（「首」）。[7]

雖然這些詮釋可能十分有趣且頗富哲理，但是研究歷史背景的學者的任務僅僅是記錄這些卦象原本可能代表什麼。就我們所知的西周思想政治氛圍以及《周易》別處的文句來看，龍並不代表後來註釋中闡發甚詳的道德或形而上力量。但龍也的確是神話中的生物，並不真實存在於世界上。然而在中國古代的神話中，龍的屬性是如此地根深柢固，因此肯定和某些自然現象有關。事實上，中國人很久以前就在

---

[6] Richard Wilhelm, *The I Ching or Book of Changes*, translated by Cary F. Baynes, Bollingen Series 19 (New York: 1950), 3。

[7] 熊十力：《乾坤衍》（臺北：學生書局，1976 年再刷版），頁 419-422。

一個星群中看出了龍的形狀，這個星群春天出現在東邊的天空中，並最終於秋天消失在西邊的地平線之下。在西方，這個星群被分成處女座、天秤座和天蠍座這三個星座，而中國人卻將其視為一個複合的龍形，由一條長而彎的尾巴和一對角為標誌。實際上，這些個別星群的名字正是「角」和「尾」。在它們之間，「亢」與「心」也被區別出來（請參考圖7.1）。

現在回到〈乾〉卦中的龍，我們可以看到眾爻描述的是龍形天體的季節位置。初九的「潛龍」代表了龍星座在大約冬至時的位置，在中國曆法上為「子月」。此時龍角還沒有出現在東方地平線上，且整條龍都還隱而不見，這在中國人看來，像是隱藏在地平線下的深水之中（請參考圖7.2）[8]。九二爻辭「見龍在田」表明了龍角第一次出現在地平線上，而這是三月初的現象（因為歲差而修改；請參考圖7.3）。由一個人望向地平線的視角去看，的確好像龍形天體潛藏於遠方的平原之下。跳過九三，此爻的爻辭與同卦其他爻的文學形式與意象皆不相同，九四爻辭「或躍在淵」繼續描述了龍形天體在夜空中的移動。從三月初龍角首次出現到四月底，只有龍角和龍頸看得見。但是在從四月底到五月中這差不多二十五天的時間裡，整個龍身（氐、房與心）以及大火（即心宿二，在古代中國被視為開始耕作季節的一個重要標誌[9]）突然地出現在地平線之上，只留下龍尾還潛藏著（請參考圖7.4及7.5）。「或躍在淵」雖然沒有特別提到龍，但肯定能喚起對龍的

---

[8] 這些星座圖並沒有經過精確的調整；不過為了本文的討論，只要它們表現出龍星座位置相對的改變就足夠了。

[9] 除了出現在卜筮甲骨文中（比如《後編》下9.1、《合集》12488），大火被後來的資料（比如《左傳》襄公九年、《史記》〔中華書局本〕，卷3，頁1257）說成是商代一位官員火正觀察的對象，而特別被用來決定農耕季節；更進一步相關資料請參考陳遵媯：《中國天文學史》（上海：上海人民出版社，1980年），頁196-197。

圖7.1　星群中的龍

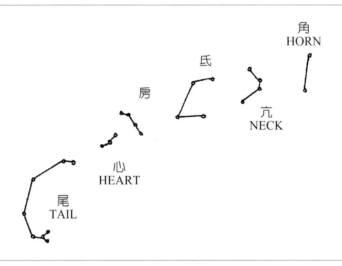

圖7.2　「潛龍」

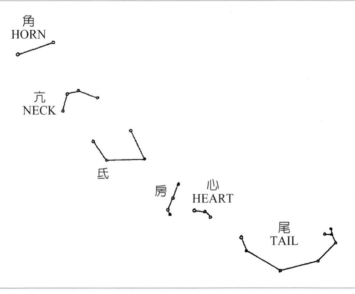

（公元前八○○年冬至黃昏龍形天體的位置）

圖7.3 「見龍在田」

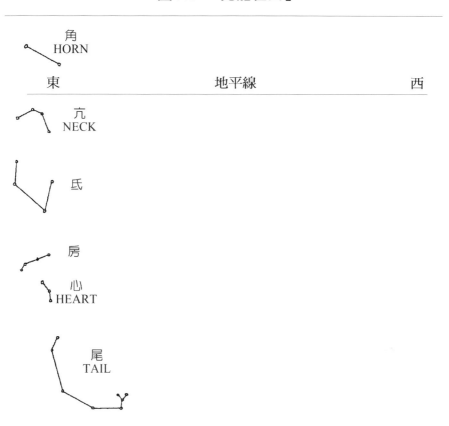

（公元前八〇〇年三月初黃昏龍形天體的位置）

圖7.4與7.5 「或躍在淵」

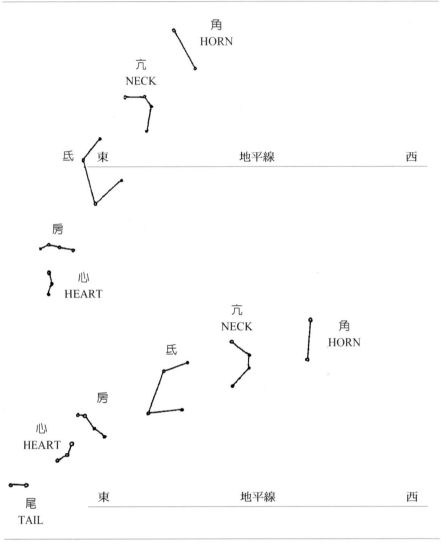

（公元前八〇〇年四月底〔上〕與五月中〔下〕黃昏龍形天體的位置）

突然出現的聯想[10]。到了九五，也即六月底夏至的時間，整條龍現在已橫掛夜空（請參考圖7.6），因此這裡的爻辭「飛龍在天」也就不足為奇。最後兩爻（上九和用九）的「亢龍」與「見群龍無首」似乎代表了同一個天文現象。如圖7.7所示，於八月中旬時星群「亢」（頸）落在西邊地平線上，即將再次潛入深處。〈乾〉卦上九爻辭用地平線上星群的名字「亢」（頸）來命名肯定不是巧合。這很自然的過渡到用九爻辭「見群龍無首」，因為此時只有龍身與龍尾還可以見於傍晚的夜空，而龍角及龍頭（角）已經隱沒於視野之下[11]。

　　儘管這一天文意象十分明顯，但卻幾乎沒有得到中國註釋家的重

---

[10] 除了一位謹慎編輯，因為他的邏輯而希望在對龍星座的天體運行所做的輪廓裡包含火星的出現以外，還有三點語言上的因素去支持將此句解釋作關於龍的隱喻。第一，這裡的動作特別被點出是在水「淵」發生。和《說文》（卷11B，頁21b）中對龍的定義相比，「秋分而潛淵」和〈乾〉卦中最初的表述「潛龍」（初九），初九中的「潛」與九四中的「淵」有明顯的關係。此外，《詩經·旱麓》中包含了這樣的對句：

鳶飛戾天，魚躍于淵。

其中飛天和躍淵之間的差別，是和卦象中九四及九五完全相同。第二，「淵」與九二中的「田」及九五中的「天」屬於同樣的韻部（真部），這暗示了此三句不僅在用韻上共有一個常見的模式，在概念上也共有一個常見的模式。第三，就像《詩經·鶴鳴》對句中的兩句：

魚在于渚，或潛在淵。

提到魚，「或」做連系詞使用，所以這個句子中的「或」應該也做連系詞，將此句的主題與初九及九二中的主題串聯起來。因為這些理由，儘管九四爻辭沒有直接提到龍，它應該也被詮釋成與龍星座的相對運行有關。

[11] 筆者懷疑這裡提及「群」龍的原因歸咎於中國古代天文─神話觀點裡，因為夜間由東邊昇起而於西邊落下的發光天體必須是複數，就像十個太陽與十二個月亮的例子。較晚期的傳統則認為有六龍；不論這是否代表了原始的天文神話，或是後來因為〈乾〉卦中六爻的闡述，筆者都選擇不多做臆測。

圖7.6 「飛龍在天」

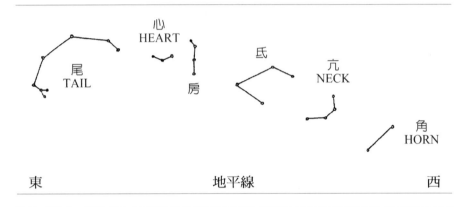

（公元前八○○年夏至黃昏龍形天體的位置）

圖7.7 「亢龍」，「見群龍無首」

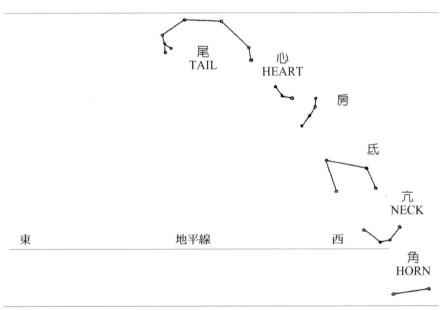

（公元前八○○年八月中黃昏龍形天體的位置）

視[12]。對他們而言，更重要的是此天文學在曆法上的意義。龍形星座出現的時間段完美地和中國耕作季節相吻合，以至於人們將龍的移動和作物收成的時節等同起來。有鑒於此，〈彖傳〉云：

> 大哉乾元，萬物資始乃統天。雲行雨施，品物流形。大明終始，六位時成，時乘六龍以御天。

儘管我們也能在這段中發現天文學的蹤跡，但其作者無疑對〈乾〉卦季節方面的含義更感興趣。對他而言，〈乾〉卦的重要性在於它和耕作季節有所關聯；萬物之生在於春，夏季的成長，及最後豐收於秋。

在〈坤〉卦裡，這個曆法上的重要性就十分明顯。全卦初六爻辭曰：「履霜，堅冰至」，顯然是在說秋分後不久的第一場霜降提醒了

---

[12] 這也不是說筆者為第一位發現乾卦中龍意象天文意義的人。早在一九一一年瑞士的中國天文史學家 Léopold de Saussure 就說到龍星座「在月與月之間的過程中，龍天體越來越大的身形會在暮光時出現，在春末時整條龍會見於地平線上且像是飛行於天際」，對於這點他又補充：「龍於春季時出現的行進過程，在《易經》首頁展露無遺，此書關於道德秩序的發展總是在天文現象上展開」，並且引述 Legge 對〈乾〉卦中初九、九二、九四及九五爻辭的翻譯；請參考 Léopold de Saussure, *Les Origines de l'Astronomie Chinoise* (1909-1922; reprinted Taipei: Ch'eng-wen, 1967), 378。不幸地，Saussure 並沒有徹底發揮這樣的看法。中國則是要到了一九四一年時，聞一多才做了類似的連結；請參考聞一多：《古典新義》（1948 年；北京：三聯書店，1982 年重印），冊二，頁 45-48。然而，聞一多並沒有察覺到爻辭與它們所描述的過程之間的關係，反而是把每一句都詮釋為獨立的微兆。在將它們與《說文》中的定義「春分而登天，秋分而潛淵」相連以後，聞一多就將最初的句子「潛龍」詮釋成一個秋天的微兆，而第二句「見龍在田」和第五句「飛龍在天」則是春天的微兆。二十年後，這些句子中所見的曆法上的發展，終於由高文策在〈試論易的成書年代與發源地域〉（《光明日報》，1961 年 6 月 2 日，版 4）中有系統地與天文現象做連結。很不幸的是再一次地，高文策並沒有注意到春秋時代前的天文學、其本質是結合星－月的，而這一點導致他將乾卦與冬季做連結而坤卦則是與夏季做連結。坤卦中的初六爻辭「履霜堅冰至」就已經足夠說明這個論點不能成立。雖然如此，高文策的文章還是在這個意象的詮釋上邁出了重要的一步，必須只有適當地了解中國天文學史，才能將乾卦中的句子回歸到它們適當的季節關聯上。

我們寒冬將至[13]。許多「星季」曆書都證實了「霜」是和九月有關的自然現象。《呂氏春秋》就描述了秋季的最後一個月「是月也，霜始降」[14]，而《淮南子》中也說到「三月失政，九月不下霜」。[15]這樣的聯繫也流行於《周易》創作時代，可從《詩經・七月》一詩中的「九月肅霜」看出。但對一個農業社會來說，在冬季來臨之前仍然還有很多工作有待完成。土地監官必須出門視察收成情況，這六二爻辭說到的「直方」[16]。六三的「含章」則需要更深入的研究，但也似乎像是在說作物已經成熟並準備好收成（和〈姤〉九五的「以杞包瓜；含章，有隕自天」相比較）。六四的「括囊」可以和下面出現在《詩經・公劉》的詩行比較：

---

[13] 赤塚忠：〈履霜堅冰至の解釋──卦爻辭成解明の試之〉，宇野精一編：《鈴木博士古稀記念東洋學論叢》（東京：明德出版社，1972 年），頁 9-28；及 Chow Tse-tsung, "The Child-Birth Myth and Ancient Chinese Medicine: A Study of Aspects of the *Wu* Tradition," in David Roy and T.H. Tsien, eds., *Ancient China: Studies in Early Civilization* (Hong Kong: Chinese University of Hong Kong Press, 1978), 53，都把履霜的意象解釋成春天婚禮的象徵。這種看法完全忽略了普遍存在於早期「星季」曆書中，「霜」與九月的關係，並且也擾亂了〈坤〉卦中的曆法關係。

[14] 《呂氏春秋》（四部備要本），卷 9，頁 1b。

[15] 《淮南子》（四部備要本），卷 5，頁 18a。

[16] 這個意思建立在常見的甲骨文上的複合詞組「屮方」。「屮」過去已有許多討論，有像是「省」、「循」、「德」等考釋；請參照李孝定：《甲骨文字集釋》（臺北：中央研究院歷史語言研究所，1965 年），卷 1，頁 563-569；也請參照 David S. Nivison, "Royal 'Virtue' in Shang Oracle Inscriptions," *Early China* 4 (1978-1979): 52-55。雖然無疑「省」、「循」和「德」三個詞都彼此相關，並且與甲骨的「屮」相關，但也沒有疑問的，該字應該直接釋作「直」（｜即十，而屮即目）；請參照 Paul L-M Serruys：〈Towards a Grammar of the Language of the Shang Bone Inscriptions〉，《中央研究院國際漢學會議論文集》（臺北：中央研究院歷史語言研究所，1981 年），頁 359，註 1。這個複合詞組在此以古體形式的「直方」出現，而不是以後來普遍使用的「省方」形式出現，對《周易》的古老年代來說是個有趣的指標。更進一步關於此複合詞組的討論（儘管考釋為「省方」），尤其是關於其在農作方面的聯繫以及〈坤〉卦中的意義，請參照聞一多：《聞一多全集》，卷 2，頁 41。

迺積迺倉，迺裹餱糧，于橐于囊。

由這裡來看，它似乎是指收穫物的存放。六五「黃裳」或許暗示了收
穫完成的慶典和繼續為冬天做的準備。這裡再一次和〈七月〉這首詩
做比較，可能會有啟發性：

八月載積，載玄載黃。

我朱孔陽，為公子裳。

但是上六爻辭的「龍戰於野，其血玄黃」又回到了〈乾〉卦中的龍的
意象，戲劇性地完成了兩卦的循環。

這裡的爻辭所指涉的自然現象一點也不直接。傳統上來說，有兩
個用來詮釋此爻的方法最有影響力。第一個方法建立在陰陽及「爻
位」理論之上。純陰的〈坤〉卦上六的爻象代表了其極致，相當於十
月份，或亥月。根據陰陽理論，無論什麼時候陰或陽兩者之一到達
其極致，都無法避免地轉化成其對立面。這裡的轉化是通過陽的力
量（即龍）經由爭鬥重獲其突出地位所完成。同時有黑血與黃血的現
象，被詮釋為陰陽雙方都承受了某些傷害。

此句另外一個主要的詮釋最早見於許慎的《說文解字》。許慎在
定義「壬」字的時候引用了這一爻的爻辭：

壬位北方也，陰極陽生，故《易》曰：「龍戰於野。」戰者接
也。象人裹妊之形，承亥壬以子，生之敘也。[17]

段玉裁的注指出「引易者，證陰極陽生也」，並指出漢緯書《乾鑿
度》在一定程度上預示了具有規範性的陰陽理論，指出「陽始於亥，
乾位在亥」。儘管這一爻辭詮釋的潛在意義在作用上跟陰陽理論是一

---

[17] 《說文解字段注》（四部備要本），卷4B，頁16b-17a。

樣的，但卻將由陰至陽的轉換視為生產而非毀滅。當陰到達其頂峰
時，陽重獲生命，就像是胚胎在母親子宮中生長一樣。

然而這兩種詮釋起源於漢朝所盛行的理論，約略為《周易》創作
的一千年以後。儘管歷史背景的研究者不能忽略這些傳統，但他有義
務去試圖發現其背後隱含的自然現象。既然上文已經說明〈乾〉卦裡
的龍象源自天象，這裡我們也可以合理地轉向天空來理解此爻中的龍
的意象，以及它為後代詮釋提供的背景。如《說文》學者所言，天干
壬與地支亥相配，并對應於冬至前的十月。除了和陽氣的重生有曆法
上的關係之外，十月還有一個帶有嚴厲父權主題的天象。研究中國天
文學史的學者薛力赫（Gustave Schlegel）注意到《爾雅翼》有如下這
句話：

> 介潭生先龍，先龍生元黿。

薛力赫附上了他的看法：「龍尾碰觸到了龜形天體之首，這一事實無
疑導致了水生龍龍生龜的虛構故事[18]」。他以類似的方式引用了《石
氏星經》（據稱寫於公元前四世紀）：

> 北方玄武七宿斗有龍蛇蟠結之象。

對此他又附加道：「很容易知道這一解釋的天文學理由，因為龜形星
座（即「斗」或獵戶座）的頭碰到了龍形星座（即「尾」或天蠍座尾
部）的尾，這可能催生了龍龜合體的流行信念[19]」。

雖然龜或玄武通常被認作北方星限的七星宿，但這一描述似乎源
於在它的東北邊所發現的一個顯著的星群。正如圖例所示，由南冕星

---

[18] Gustave Schlegel, *Uranographie Chinoise* (Leiden: E.J. Brill, 1875), vol. 1, 64。

[19] Schlegel, *Uranographie Chinoise*, vol. 1, 172。

所構成的「鱉」星座（龜）恰巧有著令人驚奇的龜身形（圖7.8）。此外，如圖7.9裡可以看到，龍、龜天體的關係在十月份裡有著獨特的重要性。這個時節恰好是龜與龍的天體於西方地平線的深水之下結合的時刻。這大概標誌著它們圓滿完成其交合的適當時機與地點。[20]

儘管天蠍和獵戶座的結合可能就是許慎將此爻的「戰」訓為「接」的原因，但神話中關於龍的戰鬥的描述表明這種詮釋並無必要。在與龍有關的戰役裡，最重要的或許就屬黃帝與蚩尤之戰。在這場戰役中，有一條龍（特別被稱為應龍）為黃帝的兩位重要將士之一。蚩尤（有一則記載將其描述為龜足蛇首[21]）與黃帝在涿鹿相遇（據說在北方蠻荒之地冀州之野）。戰爭一開始，蚩尤就率領著風伯雨師，並降下一場濃霧，使得黃帝大軍陷入一片混亂。據說黃帝望向天空，受到星杓（斗）的啟示進而造了一架指南車。儘管有此星象指引，但黃帝還是陷入僵局。此時有一位名為魃的玄女被派來幫助黃帝。她的到來終止了大雨，而蚩尤也因此被誅殺。

神話資料對於是誰殺了蚩尤這一點上並不一致；儘管多數認為是黃帝，但至少有一個地方說是龍。《山海經》裡就說到：

> 大荒東北隅中有山名曰凶犁土丘。應龍處南極，殺蚩尤與夸父，不得復上，故下數旱。[22]

---

[20] 這裡筆者應該澄清說明。嚴格上說，玄武並不一定就是「鱉」或龜。「玄武」一般都認為屬於北方象限中的七星宿（斗、牛、女、虛、危、室與壁），而「鱉」或龜只是斗的上升星座，然而不像龍和鳥星座，這兩者都和其命名的動物形體有某種程度上的相似，要從七星宿的組合中看見龜的形體是很困難的。筆者懷疑整個象限（無論這四個大致上等邊的象限何時形成）的命名，來自於其最重要的星座，因為它的確像是龜的形狀，而此星座也幾乎碰觸到龍星座的尾巴。

[21] 引用於森安太郎著，王孝廉譯：《中國古代神話研究》（臺北：地平線出版社，1979年），頁195。

[22] 《山海經》（四部備要本），卷14，頁6a-b。

圖7.8　鱉形天體

龜
TURTLE

圖7.9　「龍戰于野，其血玄黃」

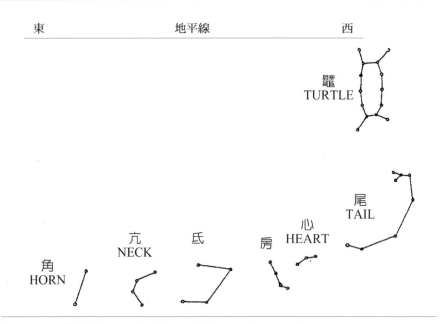

（公元前八〇〇年十月黃昏龍形與鱉形天體的位置）

郭璞在注中明確了龍這一動作的結果：「應龍遂住地下」。但特別指出龍為誅殺蚩尤者相對不那麼重要，因為黃帝本人就是龍的化身。除了他與龍的一般聯繫之外[23]，《史記‧天官書》也告訴我們軒轅星座「擁黃龍身[24]」，而軒轅是黃帝的另一個名字。黃帝也不是在這個神話爭鬥中唯一出現在天空裡的戰士。有幾則記載提到在蚩尤死後，他升天並成了一顆彗星[25]。

儘管將此神話與特定的天文現象聯繫在一起為時尚早，但不能否認其意象大體上與天文有關。[26]對我們這裡的討論有獨特重要性的

---

[23] 黃帝一般都被描述為乘著龍背升天。有關黃帝和龍的完整討論，請參照森安太郎：《中國古代神話研究》，頁 175-202、215-240。

[24] 《史記》，卷 27，頁 1299。

[25] 請參照比如《呂氏春秋》（四部備要本），卷 6，頁 9b，及《史記》，卷 27，頁 1335。

[26] 這裡特別有趣的是有關指南車發明的記載，與其在《管子》（〔四部備要本〕，卷 41，頁 10a-b）中季節更迭的直接關聯：

昔者，黃帝得蚩尤而明於天道……蚩尤明乎天道，使為當時。

房玄齡的注解提到：「謂知天時之所常也。」此處可以比較黃帝、蚩尤大戰與中國神話中的其他大戰，特別是大禹和共工之戰。在敗戰的過程中，共工一頭撞向不周山，也就是天庭西北方的樑柱，而樑柱的斷裂也造成天庭在西北方的傾斜。一般來說，即使沒有很直接的話，中國詮釋者們認為這個神話本質上是跟天文有關的，用來嘗試解釋黃道的傾斜。黃道的傾斜導致了星辰在年中不同時節出現，因此也讓它們成了季節更迭的最佳標記。就某方面說，黃道於天體軌跡上的位移，可以被形容成是宇宙時間的開始，也因此成了一個適合神話化的題材。這般的神話可在世界上各個文化中發現，其中部分被 Giorgio de Santillana 與 Hertha von Dechend 所蒐集討論。僅引用其中一個例子，他們節錄了 Macrobius 一個相當流行的有關 Kronos（火星）與 Chronos（時間）的辨認：「有人說，火星切掉了它父親 Caelus（Ouranos）的私處，並把它們丟入海中。Venus 由此而生，且在泡沫（aphros）中成形，並名為 Aphrodite。由此人們做了結論，當世界一片渾沌，時間（一個由天空轉化而來的定量）並不存在。時間開始於斯；並因此人們相信 Kronos 亦即 Chronos 的誕生，就像之前所說的一樣。」對於這點，de Santillana 與 Dechend 補充道：「事實上，世界之雙親的分離是藉由 Ouranos 的閹割所完成的，它代表了黃道傾斜的建立，亦即記

是，漢代的蚩尤崇拜是在十月份進行的。[27]不僅如此，這也跟他與黃帝的戰鬥時的氣候描述十分相符。在中國，秋天意味著雨季。十月份冬季的開始則帶來持續到來年春天的乾旱。這肯定是為什麼黃帝需要魃的幫助來戰勝呼風喚雨的蚩尤的原因。同樣的，這也是為什麼龍被說成在誅殺蚩尤後必須潛入地下；天文上來看，龍到下個春天之前都不會再次升起。最後，同樣的現象無疑說明了為什麼黑血（即蚩尤之血，回想它跟龜蛇或者玄武的關聯）和黃血（即黃龍之血）會同時灑下，這直接跟《周易》爻辭的結論「其血玄黃」有關。

筆者在上文已經評論了兩則有關「龍戰於野」之謎的試探性解決方案。無論哪一個是此意象的本源（也許兩者的微妙之處都適用），它們都有一個重要的共同點，即與十月份初冬的事件有關。如上所述，漢代的易學家一致將〈坤〉卦上六這一爻歸於十月。其中以荀爽最為典型，他在注釋中說到：

> 消息之位；坤在於亥，下有伏龍，為兼于陽，故稱龍也。[28]

也許更重要的是，有與《周易》同代的證據表明十月份（標誌

量時間的開始」；請參照 Giorgio de Santillana and Hertha von Dechend, *Hamlet's Mill* (Boston: Godine, 1977), 135。我們應該注意到，如 de Santillana 與 Dechend 所說，火星這個時間的主控者，在中國恰好與黃帝相對應，藉著和蚩尤一戰，黃帝也成了時間的主控者。這就暗示了，如大禹和共工之戰，皇帝和蚩尤之戰不過是另一個對於同一個星象的神話表現而已。事實上，葛蘭言（Marcel Granet）已指出在蚩尤及共工神話幾個幾乎完全相同的特徵：兩者都為八風神，也都屬於姜氏族，兩者也都和空桑樹有關，於商丘接受懲罰，最重要的是兩者都被說成是「爭為帝」的叛徒；請參照 Marcel Granet, *Danses et legendes de la Chine ancienne* (Paris: Albin Michel, 1926), 351-360, 482ff. 所有的這些都說明，雖然它的天文聯繫不像共工撞裂天庭樑柱如此容易地辨識，黃帝為了對付蚩尤的濃霧所造的指南車（關於渾沌，試回想 Aphrodite 由「泡沫」中而生），也是一個宇宙時間開始的表現。

27 請參照《史記》，卷1，頁5。
28 見引於李鼎祚：《周易集解》（易經集成本），卷9，頁69-70、80。

著「生長季節」的結束）實際上也被視為一年的結尾。中國最古老的
「星季」曆書為《詩經》中的〈七月〉一詩。關於十月它說：

> 十月蟋蟀入我床下。穹室熏鼠，塞向墐戶。嗟我婦子，曰為改
> 歲，入此室處。[29]

有了這個曆法的概念，就很容易可以辨認〈乾〉與〈坤〉的互補性。
但與典型的〈泰〉、〈否〉和〈既濟〉、〈未濟〉這兩對卦不同，此處
結構或卦象上的互補性是相對次要的。儘管〈乾〉與〈坤〉有著相同
的天文、神話的意象，但其深層結構完全是曆法上的。〈乾〉取龍形
天體為其象以描述一年中作物生長季節的各個階段，從發芽一直到成
熟。而〈彖傳〉儘管作於卦象原本的天文意義已大多遭到遺忘的時
代，但還是確證了〈乾〉卦關於「生成」的這一方面：

> 大哉乾元，萬物資始。乃統天。雲行雨施，品物流行。

另一方面，〈坤〉卦標誌著農業與曆法過程的結束，以及冬季「消
亡」的開始。它不像〈乾〉那樣點出了橫跨十個月的天文現象，而只
是重點關注了一年中的兩個月份。但這兩個月份確實值得重視，因為
它們代表著農業曆法中最重要的收穫時節。此處的〈彖傳〉再一次標

---

29 應該也要注意到的是，這個詩歌式的曆書運用了兩個不同的曆法算法，月份由四
月到十月與夏曆相符（該曆始於寅月，亦即冬至後的第二個月）。其他月份則與周
曆相符（該曆始於子月，即包含冬至的月份），而這些其他月份則被稱為「一之
日」、「二之日」以此類推至「四之日」。有關此詩的討論，互相聯繫其月份與在其
他曆書中所描述的自然現象，請參照華鐘彥：〈七月詩中的曆法問題〉，《詩經研究
論文集》（北京：人民出版社，1959年），頁151-162。這是一個雙重曆法共存的有
趣證據，一個較流行而一個較官方，同時也標示出由亥月（夏曆中的第十月份）至
子月（周曆中的第一月份）的過程，這點對於〈乾〉卦與〈坤〉卦的循環非常重
要。

示了恰當的詮釋：

> 至哉坤元，萬物資生。乃順承天，坤厚載物。德合无疆，含弘
> 光大，品物咸亨。

雖然生長季節很重要，但沒有收穫是不完整的。因此儘管〈乾〉卦很重要，少了〈坤〉卦它的允諾也無法實現。這種互補性證明了它們在經文中的並列出自有意識的編纂決定。無論就取象之微妙、詩歌之精緻、還是曆法關係的互補性來說，〈乾〉、〈坤〉二卦都無愧於《周易》之首的位置。

（楊濟襄、周博群　譯）

8

女性詩人何以最終燒毀王室

在中國經典的研究中，當代的學術成就在《詩經》的注解上，可能有著最令人滿意的貢獻。《詩經》裡的作品跨度極廣，從公元前十世紀宗廟裡詠唱的頌歌，到公元前九到八世紀讚揚周室建國或批評其墮落的史詩，再到周室分裂之後諸侯國的歌謠（風）。至晚在公元前六世紀，當《詩經》被編定成一定的型態時，這些詩歌已經頻繁地在政論中被引用，而且據當時的理解似乎本該如此。到了西漢——即最早的註釋《毛傳》出現之時——大部分的讀者似乎相信這些詩歌源自特殊的歷史時刻，其力量正來自於對這些歷史時刻的評論。這種歷史政治詮釋主導了之後兩千年的《詩經》解讀（儘管其中不乏含蓄的修正觀點，最早可追溯至北宋時期），而且繼續對今日的許多解讀影響匪淺。然而，它已經不再是唯一的解經模式。二十世紀大膽地背棄了傳統的經學模式，而且毫無疑問，當代最著名的二到三位詩經學者是在這條路上走得最遠的那幾位。

這個新的《詩經》詮釋，是由偉大的法籍漢學家葛蘭言（Marcel Granet, 1884-1940）所開創。在其於一九一九年所出版的《古代中國的節慶與歌謠》（*Fêtes et chansons anciennes de la Chine*）中，葛蘭言指出《詩經》中這些詩歌（或者更確切的說是歌謠）原本都是在民間的季節慶典中詠唱的[1]。葛蘭言將詩中原有的證據（特別是〈國風〉）

---

[1] Marcel Granet, *Fêtes et chansons anciennes de la Chine* (Paris: E. Leroux, 1919)；英文譯本請參照 E.D. Edwards, *Festivals and Songs of Ancient China* (London: George Routledge, 1932)。

與後代禮書及其他文化中的相似現象結合起來，並推斷這些節日大多
在春耕及秋收時。其意圖不僅僅是慶祝農業生活的生殖力，還為了讓
族群中的未婚男女有相遇的機會。葛蘭言認為，這些面對面排成行的
男女會在一起即興合唱歌曲，希望能贏得對方的青睞。關於這種求偶
對歌的禮儀，最佳範例就是見於惡名昭彰的〈鄭風〉其中的〈溱洧〉
一詩：

> 溱與洧，方渙渙兮。
>
> 士與女，方秉蕑兮。
>
> 女曰「觀乎」。
>
> 士曰「既且」。
>
> 「且往觀乎」。
>
> 洧之外，洵訏且樂。
>
> 維士與女，伊其相謔，贈之以芍藥。

此詩顯示了這些節慶中的兩個特色，葛蘭言於《詩經》中為之發現了
廣泛的證據：這些慶典大多在河岸邊舉行，且通常有交換花朵信物的
行為。

儘管葛蘭言的民族學分析對於理解這些詩歌的創作背景十分重
要，但他否認詩中有任何形式的象徵色彩和微妙性明顯是對傳統寓
言式解讀的過度反應[2]。幸好，如此過度的字面主義被二十世紀第二位
偉大的《詩經》學者聞一多（1899-1946）修正了（也許是過度修正
了）。聞一多與葛蘭言一樣，也因為將〈國風〉裡許多詩歌詮釋成流
行情歌而著名[3]。但與葛蘭言不同的是，他在詩中看見了無處不在的象

---

[2]　請參照 Granet, *Festivals and Songs*, 27。這裡葛蘭言表示將屏除「所有象徵性或詩人
　　微言大義的詮釋」。

[3]　大約從一九三五年到其於一九四六年辭世的這十年間，聞一多對《詩經》的研究，

徵。葛蘭言將許多詩歌開頭的自然意象詮釋為對節日場景的真實描繪，而聞一多認為這些意象主要是為了去喚起人們內在情感[4]。這和傳統觀點並非完全不同。也許他對這些意象或「興」的最著名詮釋要算「魚」的象徵意義。[5]

聞一多注意到，《詩經》裡大部分提到魚的詩都與婚姻有關。〈衡門〉就是一個好例子：

> 衡門之下，可以棲遲。
> 泌之洋洋，可以樂飢。
>
> 豈其食魚，必河之魴。
> 豈其取妻，必齊之姜。
>
> 豈其食魚，必河之鯉。
> 豈其取妻，必宋之子。

如同葛蘭言一樣，聞一多也對民族學熱情高漲，而民俗學在一九三〇年代的中國也曾一度蔚為風潮。他將〈衡門〉與他和學生在中國南方

大多是針對單一意象或句子所作的一般注釋，而不是對整首詩作延續性的分析。相關觀察可以在《詩經新義》與《詩經通義》通篇中發現，而這兩篇都重印於《聞一多全集》卷二之中（1948 年；上海：上海古籍出版社，1984 年再版）。

[4] 這個一般被稱為「興」的自然意象，或許已經變成是《詩經》文學批評中，最易被人所討論的重點。雖然有學者認為這個意象幾乎沒有意思的（有關其觀點的簡潔概括，請參照余寶琳（Pauline Yu），*The Reading of Imagery in the Chinese Poetic Tradition*〔Princeton: Princeton University Press, 1987〕，60-64）。關於「興」，余寶琳指出「大部分《詩經》傳統注釋者們相信有部分相似關係將「興」與詩的主題連結了起來」；出處同上，頁 65。

[5] 有關本詮釋最具說服力的說明，請參照其研究〈說魚〉，《聞一多全集》，卷 1，頁 117-138。

所聽到的民謠相比，其中一首來自客家族：

> 天上下雨，地下滑。
> 池中魚兒，擺尾巴。
> 那天得魚，來下酒。
> 那天得妹，來當家。

另外一首則流傳於雲南一帶。

> 要吃辣子，種辣秧。
> 要吃鯉魚，走長江。
> 要吃鯉魚，長江走。
> 要玩小妹，走四方。

食用魚類與婚姻關係之間的聯結無所不在（除了這些民謠以外，聞一多也提到在其他文化之中魚是繁殖力旺盛的象徵），這使得聞一多認為魚本身就能引發性關係的聯想（也許是因其與男性生殖器相似）。《詩經》的創作者們提到「魚」的時候，其主要意圖正與此聯想或是象徵含義有關。

　　魚和婚姻關係的聯繫，在〈衡門〉這首詩中似乎很清楚。甚至在某些沒有明顯提到魚的詩中，聞一多也在其自然意象的背後發現了潛在的聯繫。舉例來說，在〈候人〉一詩中，主要的自然意象是一隻鵜鶘；然而聞一多指出鵜鶘是一種食魚的鳥類，因此提到它也會讓人立刻聯想到魚：

> 彼候人兮，何戈與祋。
> 彼其之子，三百赤芾。

　　　維鵜在梁，不濡其翼。
　　　彼其之子，不稱其服。

　　　維鵜在梁，不濡其咮。
　　　彼其之子，不遂其媾。

　　　薈兮蔚兮，南山朝隮。
　　　婉兮孌兮，季女斯飢。

二、三兩章裡鵜鴣的意象似乎明顯是為了喚起對人類活動的聯想（經學傳統的主流觀點對此毫不懷疑）：鵜鴣沒有沾濕牠的喙，也就是說牠沒有吃魚，這與一位高傲的年輕男性「不遂其媾」相似。聞一多與傳統注釋家的不同之處在於，後者要尋找一個特定的歷史事件來作為這首詩所指的對象，而前者認為這些詩只和一般性的人類活動有關，就像客家與雲南的情歌一樣。

　　儘管佛洛伊德之後的讀者很容易理解葛蘭言對「族群豐饒之禮」的強調或聞一多對某些意象的「性」詮釋，但我們也很容易理解沉浸在經學氛圍中的讀者對此詮釋會感到相當陌生[6]。為了更好的理解兩種註釋風格的背景，筆者將仔細檢視《詩經》中一首最神秘的詩歌〈汝墳〉。此詩充滿了葛蘭言與聞一多所研究的各種意象（包含一個特別圖象化的魚的意象），但同時也有明確的政治指涉（「王室」）。筆者相信這首詩的不同詮釋極佳地說明了傳統經學與葛蘭言、聞一多及其

6　舉例來說，梁實秋就指出：「有許多人不滿他（聞一多）頻繁地使用佛洛伊德式的分析法，也認為他過度重視了性的象徵」；《論聞一多》（臺北：中華文化事業出版社，1967年），頁86；錄自陳炳良：〈說汝墳：兼論詩經中論及戀愛與婚姻的作品〉，《中外文學》，第7卷，第12期（1979年），頁150註2。

近期的追隨者之間的差別。

　　〈汝墳〉一詩出於整部《詩經》的第一部分〈周南〉。對於以漢代〈毛詩序〉為基礎的注家來說，這樣的出處已經具有了某種含義。〈毛詩序〉將〈周南〉中的全部詩歌歸於一個特定的歷史階段，即周文王時代（大約為公元前1099/57-1050）。此時文王及其后妃的德化不僅澤及周民，還擴散到名義上仍處於商朝最後一位暴君帝辛（大約為公元前1086-1045）[7]管轄之內的人民身上。標題中的「汝」指的是汝河，該河向東流過現今河南省的中心位置，直到東周都城（即今洛陽）的南方。儘管這一地理背景引發了後世注家的大量探討，但其具體位置似乎對兩種基本的詮釋方向都不那麼重要。[8]

　　這首詩文字上並不太難，開首的兩章描述一位女子沿著汝河畔收集乾柴或砍伐木柴，等待著情人的歸來（以《詩經》中習見的「未見君子」來表達）。這一主題持續了兩個詩節，以暗示分離之久。然而在第二節末尾，愛人終於歸來了（「既見君子」仍是《詩經》中習見的句子）。第三章，也就是最後一章，脫離了這一表達模式，以提到了魚的開頭取而代之，隨即轉向表面上沒有明顯聯繫的「王室如燬」，最後以表面上亦沒有明顯聯繫的「父母孔邇」結束：

---

[7]　傳統注釋都按照慣例認為商朝最後一位君王為紂，紂即他的本名。為了避免與周人的周有所混淆，筆者將在全部的例子中，以其統治名稱帝辛稱呼之。

[8]　崔述（1740-1816）所提出的詮釋（《讀風偶識》，見於《崔東壁遺書》〔上海：上海古籍出版社，1983年再刷〕，頁536），為王安石（1021-1086）的注解所啟發，節錄於劉瑾：《詩傳通釋》中（〔四庫全書本〕，卷1，頁35a-b），由一個空間性的語境轉移到時間性的場景：既然汝河流域是在東周首都洛陽附近，詩就應屬東周時期（公元前771-256）。如此的斷代，也就同時將最後詩節中燃燒的「王室」所屬的歷史背景，及特定指涉轉移到西周幽王時期（公元前781-771年在位）。如同商的帝辛，在傳統的中國歷史中，幽王也被認為是末代的暴君，其首都也是慘遭攻伐焚毀。雖然這首詩的斷代，與幾乎大多數語文學家所接受的斷代相差不遠，但其作用卻似乎與傳統注釋無甚差異。

遵彼汝墳，伐其條枚。
未見君子，惄如調飢。

遵彼汝墳，伐其條肄。
既見君子，不我遐棄。

魴魚赬尾，王室如燬。
雖則如燬，父母孔邇。

這首詩的傳統詮釋——此處筆者指的是〈毛詩序〉、《毛傳》、鄭玄（127-200）《箋》與孔穎達（574-648）《正義》——認為此詩寫於周文王時代[9]，和其他〈周南〉中的詩歌一樣。這是一個有著強烈道德對比的時代。一方面，文王不論在公私生活上都是道德的象徵，這也潛移默化地影響了周人的精神風尚。因此，〈毛詩序〉對〈汝墳〉的陳述帶有敬意：

汝墳道化行也。文王之化，行乎汝墳之國。婦人能閔其君子，猶勉之以正也。

然而另一方面，商朝的暴君帝辛尚未退位。他的在位同樣無可避免地削弱了人倫的紐帶——甚至包括夫妻之間，比如〈汝墳〉中的女詩人和其「君子」。

9　這裡有關〈周南〉中詩歌的斷代得自傳統注釋的看法；目前至少在古文字學者與語文學者之間有一定的共識，也就是這些詩歌至少要到公元前八或七世紀才被人所創作，比如 W.A.C.H. Dobson, "Linguistic Evidence and the Dating of the Book of Songs," T'oung Pao 51 (1964): 322-334。當然，這可以是否定傳統詮釋的一個理由，但筆者認為這樣的反應太過於簡單化。雖然傳統詮釋強調特定的歷史背景與指涉對象，這並不代表詩的創作就需要在同樣的時間點發生。

　　此詩一開始就描述了女詩人沿著河岸拾木或伐木的情景，傳統注家認為，妻子肯定是在承擔遠離的丈夫的工作[10]。詩中並沒有說明為何丈夫會離開。據《毛傳》的暗示，這位丈夫可能是伐商大軍中的士兵。不過這個說法中隱含了一個時代錯誤，因為當時文王早已辭世。或許也因為如此，鄭玄才表示這位丈夫不情願地為主子帝辛盡責，儘管其有顯著的暴行。不論如何，一般都認為此詩以商朝的覆滅為歷史背景。

　　在夫君離開的情況下，妻子將自己的渴望描述成「惄如調飢」。這樣的描述，就連《毛詩正義》這樣冗長的注釋，也僅訓釋了幾處詞語就一筆帶過。到了形式上與第一章對仗的第二章，這個妻子再次收集著木柴。由於這一次的木柴為「條肆」，所以注家們認為從第一章到第二章包含了整個季節的轉換。然而這次在汝河河畔的遊走盼來了夫君，女詩人因夫君「不我遐棄」而歡欣鼓舞。

　　最後一個詩節卻以令人不解的魚意象作為肇端，這裡的「魴魚」通常應該是白色的[11]，但據詩人的描述卻有紅色的尾巴。《毛傳》簡單

---

[10]「伐」這個動詞暗示著砍伐木材，但是全部三個用來指木材本身的字「條」、「枚」、「肆」則是在指細小的樹枝。因此，認為女人收集木材似乎是很自然的事情，或許對女人來說更是例行公事。然而，大部分的注解都強調，這只是因為她必須繼續離去丈夫的工作，暗示著他們看見她持釜砍伐木頭。

女詩人被看見砍伐木材激起了有關她社會背景的討論：她究竟是高階軍官的妻子或是一般人的妻子？相關的討論被大量摘錄於高秋鳳：〈詩經周南汝墳篇研究〉，《中國學術年刊》第10輯（1989年），頁83-84。高秋鳳對於此討論的結論，舉例說明了按字面理解《詩經》所可能被帶往的境界：「據上引述，此詩中之我究為大夫之妻，抑是庶人之妻，頗難論定。考前人之以為是庶人妻者，其因有二：一，大夫之妻不可為親伐薪；二，詩中之朝飢思食乃賤女口氣。然朝飢未必為賤女口氣，且大夫之妻是否不可為親伐薪，亦難確定。蓋斯時既王室如燬，而其夫復外出行役，或以家中人手不足，或以欲藉伐薪以瞻望其夫之是否歸來，則伐薪之事亦有可能。」

[11] 有關魚顏色的描述，請參照朱熹：《詩集傳》（四部叢刊本），卷1，頁9a。而有關魚尾巴顏色的討論，則請參照註12。

地將其解釋為「魚勞則尾赤」，這也許是為了喚起對帝辛統治之下辛苦勞作的聯想。鄭玄則提出一個更為明確的對照，並說「君子仕於亂世，其顏色瘦病，如魚勞則尾赤」。[12]不管怎麼說，這條魚都被視為是帝辛所帶來的困苦象徵，詩的重點也因此移向了商朝的王室。

無論《毛傳》還是鄭玄，都沒有清楚地解釋「王室如燬」這個令人費解的詩句。《毛傳》僅僅說「燬」意指「火」，很可能是暗示在周人克商時，整個商都籠罩在一片火海中。[13]鄭玄則將其解釋為商朝王室的「酷烈」，這與他把詩歌創作時間定於伐商之前不久相符。在某種程度上，對最後一句「父母孔邇」的詮釋調和了兩個不同的歷史背景之間的分歧。雖然有服侍暴君的挫折感，或甚至是推翻商朝的憤怒與興奮，但文王（周人之「父」）教化人心的影響力，依然提醒著周人要維持住其自身的操守。

聞一多是第一位與此傳統決裂的人。在上文簡要介紹了他對魚意象的詮釋之後，我們應該可以預見他將此詩解讀為一首情歌。儘管他

---

[12] Arthur Waley 試著從《左傳》中的一段（哀公十七年）裡尋找支持將魚意象視為是勞動國家狀態詮釋的徵兆，指出「一條尾巴流血的魚，無助地順流而下，是王朝敗壞的象徵」；Arthur Waley, *The Book of Songs* (1937; reprinted in New York: Grove Press, 1987), 152。這個詮釋有點太按照字面了。事實上，這一段文字與龜甲占卜時、在甲殼上出現的裂縫有關：

衛侯貞卜，其繇曰：如魚窺尾，衡流而方羊。裔焉大國，滅之將亡。

東漢學者鄭司農（公元一世紀）將此徵兆詮釋成象徵衛侯的荒淫；見於《春秋左傳正義》（四部備要本），卷 60，頁 5b。根據其解釋，這個徵兆的含意，或許和聞一多所觀察到的性象徵是一致的。聞一多的學生孫作雲補述了這樣的觀察，他認為依據「生物學」，有些魚類在春天時尾巴會轉紅，以吸引異性；孫作雲：《詩經與周代社會研究》（北京：中華書局，1966 年），頁 311。

[13] 在《列女傳》中，劉歆（卒於 23 年）引用此句末字為「毀」，明確地表示這就是他所想見的當時的場景。而另一方面，較早的《韓詩外傳》則寫成烓，就如引用於《經典釋文》裡不同的文本傳統，說明這個字原來事實上都被理解成「火熱」的意思。

沒有為此詩作注，但的確提到了其中的幾句來支持他對《詩經》中許多自然意象的詮釋，而且他的理解十分清楚。除此之外，這樣的理解也繼續被他主要的學生孫作雲（卒於1978）所擴充，之後則是陳炳良。[14]

除了魚的意象以及「未見君子」、「既見君子」這兩個習語，前兩節詩中的其他意象也增添了此詩的浪漫色彩。比如在對開頭兩句詩的解讀上，孫作雲和陳炳良都與葛蘭言一樣，將其視為在幽會的河岸邊收集花朵的定情信物的描述[15]。儘管筆者既不會否定《詩經》中大量運用了此類修辭，也不會否定它與同詩中的其他主題一致，但卻找不出任何語言或概念上的理由認為這一解釋比傳統的更好。實際上，這一個意象在詩中有著雙重目的。其一，聞一多引用證據表明《詩經》中的木材既可以燒火也可以燃起激情[16]。這一象徵最好的例子也許要算〈南山〉一詩，也跟婚姻有關：

> 析薪如之何，匪斧不克。
> 取妻如之何，匪媒不得。

如此象徵在〈汝墳〉一詩中似乎特別有效，它喚起了最後一節詩中的核心意象：「王室如燬」。

聞一多對「惄如調飢」裡「飢餓」意象的詮釋受到了許多人的欣賞。如他已經指出的，在〈衡門〉與〈候人〉這兩首詩裡，「飢餓」

---

14 孫作雲：《詩經與周代社會研究》，頁311-313；陳炳良：〈說汝墳〉，頁139。
15 孫作雲：《詩經與周代社會研究》，頁311；陳炳良：〈論汝墳〉，頁139。除了這些非常相似的閱讀之外，也值得一提的是白川靜的看法，女人撿拾植物是為了當作奉獻投入河中，以求其心上人的出現；白川靜：《詩經研究》（東京：朋友書店，1981年），頁511。
16 有關聞一多將木材視為是喚起性慾的討論，請參照《聞一多全集》，卷2，頁76-78、123-124、177-180。

明顯是性慾的委婉說法。〈衡門〉描繪了一位尋找合適妻子的男性，並將其情況與飢餓比較：

> 泌之洋洋，可以樂飢。

類似地，〈候人〉中被年輕男子忽視的年輕女子，最後被形容為「飢餓」的人：

> 婉兮孌兮，季女斯飢。

這種象徵手法不僅僅見於《詩經》之中，在早期的中國詩歌中也常見。錢鍾書引用了《楚辭・天問》裡的不少段落來詮釋〈汝墳〉中的飢餓意象。[17]

> 禹之力獻功，降省下土方，安得彼嵞山女，而通之於台桑？閔妃匹合，厥身是繼，胡維嗜不同味，而快朝飽？

的確，〈汝墳〉中首兩個詩節中的每一句似乎都為「而快朝飽」而設置。

　　儘管聞一多確實將最後一節開頭魚的意象視為全詩的主菜，但對此節餘下的詩行卻沒什麼可說的，只提到「王室」可能是皇宮成員的婉轉說法（「如燬」是描述他們高漲的性衝動）。孫作雲與陳炳良二位則對「王室」有更具體的詮釋。儘管其解釋稍有不同，但都認為「王室」表示祖先的宗廟。因為這類宗廟只在祭祖時才能訪問，所以大部分時候空無一人，因而成為偷情幽會的理想場所。

　　雖然這些宗廟可能曾經空空蕩蕩，但也可能就在家族住宅附近。根據陳炳良的說法，這就是詩人為什麼在最後一句寫了「父母孔

---

[17] 錢鍾書：《管錐篇》（北京：中華書局，1979年），頁73。

邇」。但這也似乎結合了《詩經》中另外兩首著名情歌裡的告誡：第一首〈將仲子〉是由一位女子唱給一位試著要翻過圍牆進入其庭院裡的追求者：

> 將仲子兮，無踰我里，無折我樹杞。
> 豈敢愛之？畏我父母。
> 仲可懷也；父母之言，亦可畏也。

至於另外一首〈野有死麕〉，只有最傾心於政治的讀者才會看不出它描述了一堆熱戀中的年輕情侶；在高潮部分的第三詩節裡，女孩要男孩不要太急躁，「無使尨也吠」而驚動到街坊鄰居。

> 野有死麕，白茅包之。
> 有女懷春，吉士誘之。
> 林有樸樕，野有死鹿。
> 白茅純束，有女如玉。
> 舒而脫脫兮！無感我帨兮，無使尨也吠！

與此詩對照，陳炳良指出即使〈汝墳〉中戀人的熱情「如燬」，他們對不遠處的父母保持著警惕。

在對傳統《詩經》注釋的重要性與微妙性保持適當尊重的前提下（近期西方的兩本專著細緻地處理了這一問題[18]），筆者相信在〈汝墳〉的例子中它是失敗的。如果將這首詩與《詩經》（特別是〈周南〉）中的其他作品放在一起讀，傳統註釋確實提出了合理而有說服力的歷史及道德解讀。然而對筆者而言，這種說服力卻以偏離詩歌本

---

[18] Pauline Yu, *The Reading of Imagery in the Chinese Poetic Tradition*; Steven van Zoeren, *Poetry and Personality: Reading, Exegesis, and Hermeneutics in Traditional China* (Stanford: Stanford University Press, 1991).

身為代價。當傳統經學思路促使學者們花大量時間爭論高官的妻子是否會親自砍柴的時候，我認為這種思路本身就是有問題的。[19]

此詩經聞一多詮釋幾乎活了起來。詩中起興的意象除了一個重要的例外（即「王室」）之外是如此一致。它們都是當時詩歌手法的一部分，並使得自然界和人類社會中的活動息息相關。儘管這些關聯並非沒有政治意義，但其流傳範圍比宮廷裡的史官廣泛得多。然而這也是為什麼聞一多的詮釋最終還是不能令人滿意：就在詩歌一直保持民謠情歌調子的時候，王室的成員卻突然闖入。如果這裡沒有任何文王影響的歷史背景，全詩的意義似乎就有一個無法解決的矛盾。[20]

王室的因素確實和〈汝墳〉有很大關係。第三章裡的「王室」是傳統解釋的主要支柱，也是阻礙我們接受聞一多解讀的主要障礙，儘管就詩歌的其他部分來看，前者並沒有說服力而後者顯得十分一致。有沒有對這個意象的解讀能包含這兩種詮釋呢？

筆者相信，如果我們能解釋王室的意象如何進入這首詩，就能清除掉阻礙我們接受聞一多解讀的最後一個障礙。聞一多在另一篇討論其《詩經》研究方法論的文章裡，提出了兩點作為開頭。其一，因為孔子「刪」《詩》，所以我們現有的本子可能經過改「正」。其二，一字之差常常會決定整首詩的意思。在〈汝墳〉中，這個可以決定全詩含義的「一字之差」明顯是「王室如燬」中的「王」。不那麼明顯但

---

[19] 筆者並不是第一位對《詩經》傳統詮釋下如此結論的人，雖然筆者也不希望像王靖獻那樣，將它描述成是「對經典文學選集的扭曲；一個同時對詩的遺傳特性和固有意義的扭曲」；C.H. Wang, *The Bell and the Drum: Shih Ching as Formulaic Poetry in an Oral Tradition* (Berkeley: University of California Press, 1974), 1。在中國文學批評的歷史中，《詩經》詮釋確實扮演著無與倫比的重要角色，也的確值得在此傳統中得到讚賞。但問題在於，這個傳統是否能延伸至《詩經》的創作年代。在〈汝墳〉這個例子中，筆者認為沒有。

[20] 筆者絕對不相信孫作雲及陳炳良二位所提出的空蕩的宗廟，能夠解決這邊的矛盾。

仍有可能的是，今本裡的這句詩可能經過改「正」。

「王」是這個字現在的寫法；然而從西周中期到漢朝，它都被寫成「王」，其中間一橫相當接近上面那一橫。在同一個時期裡，現在的「玉」字反而寫成「王」的樣子。使得這一巧合在詮釋此詩時特別有趣的是，至少從漢初開始，「玉」就通常被用來委婉表達「性」，特別是生殖器的詞語。因此，著名的「玉莖」其實指的是陰莖；在《素女經》中，女性的陰戶則要麼稱作「玉門」，要麼稱作「玉戶」。[21] 儘管筆者沒有發現提及「玉室」的地方，但同一文獻則將陰道稱作「朱室」。如果我們特別考慮到當時正在發展中的道德、政治經學傳統，就至少可以設想當《詩經》定型為現在這個樣子的時候（無論是在孔子的時代還是晚至漢朝），〈汝墳〉中原本的「王」可能沒改變過，但被人有意無意地讀成了「王」。[22]

的確，《詩經》裡的異文大多是聲音方面的通假字，這對於口耳相傳的詩歌傳統是很自然的。[23] 字形方面異文的發生頻率還需要進一步研究。然而已經有一個重要的例子得到了證明，它與筆者對〈汝墳〉的討論極為相似，有必要在這裡進行介紹。傳統上定為幽王（公元前 781-771 在位）年間的〈十月之交〉包含了對陰曆十月第一天日

---

21 有關這兩個名詞的說明，請參照《素女經》，見於葉德輝編：《雙梅景闇叢書》，頁 3b 與 3a。

22 關於此異文的一個很好的例子，可參見馬王堆〈戰國縱橫家書〉與《戰國策》裡對應文本的比較。在一段描述趙后與東方將領觸龍對話的段落裡，寫本與鮑彪《戰國策》的文本裡（〔四部叢刊本〕，卷 6，頁 53a）都寫作「王體」，而姚宏《戰國策》文本（〔四部備要本〕，卷 21，頁 9b）則寫作「玉體」。有關這個部分請參照 Yumiko R. Blanford, "A Textual Approach to 'Zhanguo Zonghengjia Shu': Methods of Determining the Proximate Original Word among Variants," *Early China* 16 (1991), 192。

23 諸如此類因語音導致的異文例子實在太多，毋庸贅述。只引用一個例子，筆者已經註記（註14）在句子「王室如燬」中，「燬」字於漢朝時期的文本中，就有許多種不同的寫法。

蝕的描述。後來的某些記載（在《竹書紀年》裡）表明，此次日蝕發生在幽王六年（公元前776）。雖然公元前七七六年九月六日確實發生過日蝕，但該日蝕在西周都城所在地西安的附近是看不到的，因此不可能是詩中提到的日蝕。相反的，方善柱已證明了詩中的日蝕應該發生於公元前七八一年六月四日，而那次日蝕的確能在西安看到。[24] 這之所以跟《詩經》裡的字形異文有關，是因為在周朝曆法中，六月四日應該是七月的第一天，而不是「十」月。眾所周知，「七」和「十」這兩個數字在中國古代文獻中經常訛混。這是因為在整個周朝，七都被寫成十而十則寫成丨。儘管如此，當現存的先秦文獻在漢代得到編輯的時候，本來用來寫「七」這個字的「十」卻被用來寫「十」這個字，而「七」這個字的寫法則稍加變化而成「七」。因此在〈十月之交〉中，很有可能原來「七」月的古文字形原封不動地保留在校訂本中，結果反而被讀成了「十」月。

同樣地，在漢朝時表示「王」這個字的「王」原本應該代表「玉」，那麼〈汝墳〉中有問題的最後一節就變成：

> 魴魚赬尾、玉室如燬。
> 雖則如燬、父母孔邇。

其意象瞬間生動起來，絕不會弄錯。有著「赬尾」的「魴」明顯指鼓脹的陽具，用於代表歸來的「君子」。「如燬」的「玉門」也明顯象徵著女詩人熾熱的性慾。這一下就平衡了第一句中男性的意象，也將女詩人拉回詩歌的中心。

全詩會以警告結束似乎是非常恰當的。正如女詩人知道她的「父

---

24 方善柱：〈西周年代學上的幾個問題〉，《大陸雜誌》，第 51 卷，第 1 期（1975年），頁 17-23。

母」會對此「如燬」的歡慶皺緊眉頭，我們也可以確定負責抄寫這首詩歌的學者會認為這一陰道的意象相當具有威脅性。他們既有責任忠實地傳達詩歌的原貌，又想為其注入道德與政治方面的含義。面對這種兩難處境，他們可以通過什麼也不做來達到自己的目的：只要不改變「玉」這個詞的古文字形，並將其直接讀作「王」即可。淫蕩的女詩人由此被替換成王室，即使這必須是一個「如燬」的王室。

（楊濟襄、周博群　譯）

精要書目

一　中文部分（依作者筆畫姓氏排列）

（一）　專書

于醒吾　《尚書新證》　北京市　大業印刷局　1934年本；重印本
　　　　臺北市　嵩高書社　1985年

白川靜　《金文通釋》　56冊　神戶市　白鶴美術館　1962-1984年

白川靜　《詩經研究》　東京市　朋友書店　1981年

李孝定　《甲骨文字集釋》　臺北市　中央研究院歷史語言研究所
　　　　1965年

李鏡池　《周易探源》　北京市　中華書局　1978年

李鏡池　《周易通義》　北京市　中華書局　1981年

赤塚忠　《中國古代の宗教と文化：殷王朝の祭祀》　東京市　角川書
　　　　店　1977年

周法高　《金文詁林附錄》　香港　香港中文大學出版社　1977年

高　亨　《周易古經今注》　上海市　開明書店　1948年

郭沫若　《中國古代社會研究》　上海市　新新書店　1930年；重印
　　　　本　北京市　聯合書局

郭沫若　《兩周金文辭大系考釋》　東京市　文求堂書店　1935年；
　　　　重印本　上海市　上海書店出版社　1999年

孫作雲　《詩經與周代社會研究》　北京市　中華書局　1966年

陳夢家　《殷墟卜辭綜述》　北京市　中華書局　1956年

陳　尊　《中國天文學史》　上海市　上海人民出版社　1980年

國立中央圖書館館刊編輯委員會編輯　《國立中央圖書館館刊》　臺北
　　　　市　國立中央圖書館　1986年　第19卷第2期　頁21-34

森安太郎著　王孝廉翻譯　《中國古代神話研究》　臺北市　地平線出
　　　　版社　1979年

董作賓　《殷曆譜》　四川南溪李莊　中央研究院歷史語言研究所
　　　　1945年

董作賓　《中國年曆總譜》　香港　香港大學出版社　1960年

聞一多　《古典新義》　北京市　中華書局　1941年；重印本　《聞一
　　　　多全集》　上海市　開明書店　1948年　冊二

聞一多　〈說魚〉　1945年；重印本　《聞一多全集》　上海市　開明
　　　　書店　1948年　冊一　頁117-138

聞一多　《聞一多全集》　上海市　開明書店　1948年；重印本　北
　　　　京市　三聯書店　1982年

熊十力　《乾坤衍》　臺北市　學生書局　1976年

錢鍾書　《管錐編》　北京市　中華書局　1979年

顧頡剛　《古史辯》　北京市　樸社　1926-1941年　重印本　上海市
　　　　上海古籍出版社　1982年

（二）　期刊論文、報紙

王國維　〈生霸死霸考〉　收入《觀堂集林》　第四冊　1923年；重印
　　　　本　北京市　中華書局　1959年　冊1　頁19-26

王國維　〈殷周制度論〉　收入《觀堂集林》　第四冊　1923年；北京
　　　　市　中華書局　1984年　冊2　頁451-480

方善柱　〈西周年代學上的幾個問題〉　收入《大陸雜誌》　南京市

南京書局　第51卷第1期　1975年　頁17-23

平心　〈〈保卣銘〉新釋〉　收入《中華文史論叢》　上海市　上海古
　　　籍出版社　1979年第1期　頁49-79

李學勤　〈何尊新釋〉　收入《中原文物》　鄭州市　河南省博物館中
　　　原文物編輯部　1981年第1期　頁35-39　轉頁45

貝塚茂樹　〈新出檀伯達器考〉　收入《東方學報》　京都市　人文學
　　　會　第8期　1937年；重印　《貝塚茂樹著作集》　東京市
　　　中央公論社　第三冊　1971年　頁214

屈萬里　〈讀周書世俘篇〉　收入《慶祝李濟先生七十歲論文集》　臺
　　　北市　清華學報社　1965年第1冊　頁317-332

松本雅明　〈周公即位考〉　收入《史學雜誌》　東京市　東京大學文
　　　學部內史學會　第77卷第6期　1968年　頁1-37

姚孝遂　〈商代的俘虜〉　收入《古文字研究》　北京市　中華書局
　　　第一期　1979年　頁337-390

高文策　〈試論易的成書年代與發源地域〉　收入《光明日報》　北京
　　　市　光明日報社　1961年6月2日　第四版

高秋鳳　〈詩經周南汝墳篇研探〉　收入《中國學術年刊》　臺北市
　　　國立臺灣師範大學國文研究所　第10期　1989年　頁69-
　　　105

馬承源　〈何尊銘文和周初史釋〉　收入《王國維學術研究論集》　吳
　　　澤編　上海市　華東師範大學出版社　1983年　頁45-61

孫作雲　〈說天亡簋為武王滅商以前的銅器〉　收入《文物參考資料》
　　　北京市　文化部文物管理局　1958年第1期　頁57-64

孫稚雛　〈保卣銘文匯釋〉　收入《古文字研究》　北京市　中華書局
　　　第5期　1982年　頁191-210

唐　蘭　〈西周銅器斷代中的「康宮」問題〉　收入《考古學報》　北

京市　科學出版社　1962年第1期　頁15-48

唐　蘭　〈西周時代最早的一件銅器利簋銘文解釋〉　收入《文物》
　　　　北京市　文物出版社　1977年第8期　頁8-9

唐　蘭　〈論周昭王時代的青銅器銘刻〉　收入《古文字研究》　北京
　　　　市　中華書局　第2期　1981年　頁3-162

夏含夷　〈周易乾卦六龍新解〉　收入《文史》　北京市　中華書局
　　　　第24期　1985年　頁9-14

郭沫若　〈保卣銘釋文〉　收入《考古學報》　北京市　科學出版社
　　　　1958年第1期　頁1-2

陳炳良　〈說「汝墳」兼論詩經中有關戀愛和婚姻的詩〉　收入《中外
　　　　文學》　第7卷第12期　臺北市　中外文學月刊社　1979年
　　　　頁138-155

陳夢家　〈西周銅器斷代〉　收入《考古學報》　北京市　科學出版社
　　　　1955年第9期　頁137-175；1955年第10期　頁69-142

陳　壽　〈大保簋的付出和大保諸器〉　收入《考古與文物》　西安市
　　　　陝西省考古研究所考古與文物編輯部　1980年第4期　頁
　　　　23-30

黃沛榮　《周書研究》　臺北市　國立臺灣大學博士論文　1976年

黃盛章　〈保卣銘的時代與史實〉　收入《考古學報》　北京市　科學
　　　　出版社

裘錫圭　〈釋勿發〉　收入《中國語文研究》　香港　香港中文大學
　　　　第二期　1981年　頁43-44

楊五銘　〈西周金文被動句式簡論〉　收入《古文字研究》　北京市
　　　　中華書局　第7輯　1982年　頁309-317

龐懷靖　〈跋太保玉戈──兼論召公奭的有關問題〉　收入《考古與文
　　　　物》　西安市　陝西省考古研究所考古與文物編輯部　1986

年第1期　頁70-73

顧頡剛　〈周易卦爻辭中的故事〉　收入《燕京學報》　第六期　1929
　　　　年　頁967-1006；重印在《古史辯》　顧頡剛編　1931年；
　　　　重印本　上海市　上海古籍出版社　1982年　第三冊　頁
　　　　1-44

顧頡剛　〈《逸周書・世俘解》校注、寫定與評論〉　收入《文史》
　　　　北京市　中華書局　第2期　1962年　頁1-42

顧頡剛　〈尚書大誥今譯〉　收入《歷史研究》　北京市　中國社會科
　　　　學出版社　1962年第4期　頁26-51

顧頡剛　〈武王的死及其年歲和紀元〉　收入《文史》　北京市　中華
　　　　書局　第18期　1983年7月　頁1-32

顧頡剛　〈周公執政稱王──周公東征史事考證之二〉　收入《文史》
　　　　北京市　中華書局　第23期　1984年　頁1-30

顧頡剛　〈三監及東方諸國的反周軍事行動和周公的對策──周公東
　　　　征史事考證之三〉　收入《文史》　北京市　中華書局　第
　　　　26期　1986年　頁1-11

顧頡剛　〈周公東征和東方各族的遷徙──周公東征史事考證四之一〉
　　　　收入《文史》　北京市　中華書局　第27期　1986年　頁
　　　　1-14

二　英文部分（依字母順序排列）

Barnard, Noel. "Chou China: A Review of the Third Volume of Cheng
　　　Tek'un's *Archaeology in China*." Monumenta Serica 24 (1965): 307-
　　　442.

──. "The Nieh Ling Yi." *The Journal of the Institute of Chinese Studies* of the Chinese University of Hong Kong 9.2 (1978): 585-627.

Blanford, Yumiko F. "A Textual Approach to 'Zhanguo Zonghengjia Shu': Methods of ?Determining the Proximate Original Word among Variants." *Early China* 16 (1991): 187-208.

Creel, Herrlee Glessner. *The Birth of China*. New York: Frederick Ungar, 1937.

Creel, Herrlee Glessner. *Studies in Early Chinese Culture: First Series*. Baltimore: Waverly Press, 1937.

——. *The Origins of Statecraft in China*, vol. 1: *The Western Chou Empire*. Chicago: University of Chicago Press, 1970.

Dobson, W. A. C. H. *Early Archaic Chinese*. Toronto: University of Toronto Press, 1962.

——. "Linguistic Evidence and the Dating of the Book of songs." *T'oung Pao* 51 (1964): 322-34.

——. *The Language of the Book of Songs*. Toronto: University of Toronto Press, 1968.

Elman, Benjamin A. *From Philosophy to Philology: Intellectual and Social Aspects of Change in Late Imperial China*. Cambridge, MA: Council on East Asian Studies, Harvard University, 1984.

——. *Classicism, Politics, and Kinship: The Ch'ang-chou School of New Text Confucianism in Late Imperial China*. Berkeley: University of California Press, 1990.

Fong, Wen, ed. *The Great Bronze Age of China*. New York: Meropolitan Museum of Art, 1980.

Granet, Marcel. *Fetes et Chansons Anciennes de la China*. Paris: E. Leroux, 1919; translated into English as *Festivals and Songs of*

Ancient China, trans. E. D. Edwards. London: George Routledge, 1932.

Harper, Donald. "The Sexual Arts of Ancient China as Described in a Manuscript of the Second Century B. C." *Harvard Journal of Asiatic Studies* 47.2 (1987): 539-93.

Havelock, Eric A. *Preface to Plato.* Cambridge, MA: Harvard Belknap Press, 1963.

Karlgern, Bernhard. *The Book of Odes.* 1944-45; rpt. Stockholm: Museum of Far Eastern Antiquities, 1974.

Karlgern, Bernhard. *Glosses on the Book of Documents.* 1948-49; rpt. Stockholm: Museum of Far Eastern Antiquities, 1970.

Karlgren, Bernhard. *The Book of Documents.* Stockholm: Museum of Far Eastern Antiquities, 1950.

Keightley, David N. "Public Work in Ancient China: A Study of Forced Labor in the Shang and Western Chou." Ph. D. diss. Columbia University, 1969.

——. *Sources of Shang History: The Oracle-Bone Inscriptions of Bronze Age China.* Berkeley: University of California Prss, 1978.

——. "The *Bamboo Annals* and Shang-Chou Chronology." *Harvard Journal of Asiatic Studies* 38.2 (December 1978): 423-38.

Kunst, Richard Alan. "The Original 'Yijing': A Text, Phonetic Transcription, Translation, and Indexes, with Sample Glosses." Ph. D. diss., University of California, Berkeley, 1985.

Lawton, Thomas. "A Group of Early Western Chou Period Bronze Vessels." *Ars Orientalis* 10 (1975): 111-21.

Legge, James. *The Chinese Classics,* vol.3: *The Shoo King or The Book of*

Historical Documents. 1865; rpt. Hong Kong: Hong Kong University Press, 1960.

——. *The Chinese Classics,* vol.4, *The She King or The Book of Poetry.* 1871; rpt. Hong Kong: Hong Kong University Press, 1960.

——. *The Chinese Classics,* vol.5: *The Ch'un Ts'ew with the Tso Chuen.* 1872; rpt. Hong Kong: Hong Kong University Press, 1960.

Loehr, Max. "Bronzentexte der Chou-Zeit: Chou I (1)." *Sinologische Arbeiten* 2 (1944): 59-70.

Lord, Albert. *A Singer of Tales.* Cambridge, MA: Harvard University Press, 1960.

Nivison, David S. "Royal 'Virtue' in Shang Oracle Inscriptions." *Early China* 4 (1978-79): 52-55.

——. "The Dates of Western Chou," *Harvard Journal of Asiatic Studies* 43.2 (1983): 481-580.

Pang, Sunjoo. "The Consorts of King Wu and King Wen in the Bronze Inscriptions of Early Chou." *Monumenta Serica* 33 (1977-78): 124-35.

Qou, Xigui "An Examination of Whether the Charges in Shang Oracle-Bone Inscriptions Are Questions." *Early China* 14 (1989): 77-114.

Santillana, Giorgio de and Hertha von Dechend. *Hamlet's Mill.* Boston: Godine, 1977.

Saussure, Leopold de. *Les Origines de l'Astronomie Chinoise.* 1909-22; rpt. Taipei: Ch'eng-wen, 1967.

Schlegel, Gustave. *Uranographie Chinoise.* Leiden: E. J. Brill, 1875.

Schmitt, Gerhard. *Spruche der Wandlungen auf ihrem geistesgeschichtlichen Hintergrund.* Deutsche Akademie der Wissenschaften zu Berlin, Institut fur Orient-forschung Veroffentlichung, Nu. 76. Berlin: Akademie-Verlag, 1970.

Schuessler, Axel. *A Dictionary of Early Zhou Chinese.* Honolulu: University of Hawaii Press, 1987.

Shaughnessy, Edward L. "The Composition of the *Zhouyi.*" Ph. D. diss., Stanford University, 1983.

———. "The Date of the Duo You *Ding* and Its Significance." *Early China* 9-10 (1983-85): 55-69.

———. "Zhouyuan Oracle-Bone Inscriptions: Entering the Research Stage?" *Early China* 11-12 (1985-87): 146-63.

———. "Extra-Lineage Cult in the Shang Dynasty: A Surrejoinder." *Early China* 11-12 (1985-87): 182-90.

———. "Historical Geography and the Extent of the Earliest Chinese Kingdoms," *Asia Major,* third series, 2.2 (1989): 1-22.

———. *Sources of Western Zhou History: Inscribed Bronze Vessels.* Berkeley: University of California Press, 1991, 134-55.

Waley, Arthur. *The Book of Songs.* 1937; rev. ed. New York: Grove Press, 1987.

Wang, C. H. *The Bell and the Drum: Shih Ching as Formulaic Poetry in an Oral Tradition.* Berkeley: University of California Press, 1974.

Wilhelm, Hellmut. *Heaven, Earth, and Man in the Book of Changes.* Seattle: University of Washington Press, 1977.

Yu, Pauline. *The Reading of Imagery in the Chinese Poetic Tradition.* Princeton, NJ: Princeton University Press, 1987.

國家圖書館出版品預行編目(CIP)資料

孔子之前 : 中國經典誕生的研究 / 夏含夷著 ; 黃聖松等譯.

-- 初版. -- 臺北市 : 萬卷樓, 2013.04

面 ; 公分. --（西方學者詮釋中國經典叢書）

譯自 : Before Confucius : studies in the creation of the Chinese
classics

ISBN 978-957-739-800-0(平裝)

1. 古籍 2. 研究考訂 3. 文化史

032   102007161

2013 年 4 月 初版 平裝
2024 年 11 月 六刷 平裝

孔子之前：中國經典誕生的研究

ISBN 978-957-739-800-0   定價：新台幣 300 元

作　　者	夏含夷	出　版　者	萬卷樓圖書股份有限公司
譯　　者	黃聖松	編輯部地址	106 臺北市羅斯福路二段 41 號 9 樓之 4
	楊濟襄	電話	02-23216565
	周博群等	傳真	02-23218698
修　　訂	范麗梅	電郵	editor@wanjuan.com.tw
	黃冠雲	發行所地址	106 臺北市羅斯福路二段 41 號 6 樓之 3
發 行 人	林慶彰	電話	02-23216565
總 編 輯	張晏瑞	傳真	02-23944113
編　　輯	吳家嘉	印　刷　者	百通科技股份有限公司
編　　輯	游依玲		
封面設計	斐類設計		

如有缺頁、破損、倒裝　　　網 路 書 店　　www.wanjuan.com.tw
請寄回更換　　　　　　　　劃 撥 帳 號　　15624015